ゼロからはじめる

なるほど！

Chat

チャットジーピーティー

GPT

Chat Generative
Pre-trained
Transformer

［活用術］

マイカ・著

JN100064

技術評論社

はじめに

　OpenAI が 2022 年 11 月に公開したチャットボット ChatGPT は、現在、大きな注目を集めています。ChatGPT は幅広い分野の情報を網羅しているため、あらゆる質問に対して回答します。ただし、適切な形で質問しなければ、得たい回答は得られません。

　本書は、「ChatGPT を使ってみたいがよくわからない」という人や、「どのように活用すればよいだろう」と悩んでいる人に役立つ内容となっています。アイデアブックとしても活用できるように、具体的なシーンでの活用例や質問の組み立てなど、詳細な情報を盛り込んで解説しています。ChatGPT の活用によって広がる可能性や、その限界についても触れていきます。

　本書を通じて、ChatGPT を効果的に活用する支援ができれば幸いです。読者の皆さんが ChatGPT の機能を最大限に引き出し、これまで以上にポテンシャルを高めていくことができれば、こんな嬉しいことはありません。さあ、ChatGPT の世界へ一緒に飛び込んでみましょう。

2023 年 5 月
筆者

Contents

第 **1** 章

ChatGPTの基礎知識

第 **2** 章

ChatGPTでできること

第 **3** 章

ChatGPTを使ってみよう

第 5 章

ChatGPTの拡張と他のAIツール

第 **1** 章

ChatGPTの基礎知識

ここではChatGPTの基本的なしくみや導入方法を
解説します。まだChatGPTに触れたことのない
という方は参考にしてください。

ChatGPTってなに？

Keyword OpenAI ／人工知能／自然言語処理

ChatGPTは、**OpenAIによって開発された人工知能**（AI）テクノロジー。GPTとはGenerative Pre-trained Transformer（ジェネレーティブ・プリ・トレーニド・トランスフォーマー）の略で、直訳すると生成可能な事前学習済みの変換器という意味になります。ChatGPTの最大の特徴は、人間と同様の自然な文章でのコミュニケーションができること。**表現力が高く、さまざまなニュアンスや文脈を理解する**ことができます。これにより、質問に対して適切な回答を提供するだけでなく、創造的な物語や複雑な文章を生成することが可能となっています。

ChatGPTへの期待

ChatGPTは、あらゆる業界で利用されており、顧客サポートから教育、コンテンツ制作まで幅広い分野で活用されています。また、開発者向けのAPIも提供されており、多くのアプリケーションやサービスに統合されることで、さらなる利便性向上に貢献しています。

ChatGPTの応用範囲は広く、情報検索や業務支援はもちろん、翻訳や文章校正、データ分析などの専門的なタスクにも対応できます。また、エンターテインメント分野でも使われるなど、多岐にわたる用途が期待されています。

ChatGPTは、人工知能の未来を切り開く鍵とされており、その発展によって人々の生活が大きく変わることが予想されます。しかし、同時に倫理やプライバシーに関する懸念も存在しており、技術の責任ある活用が求められています。

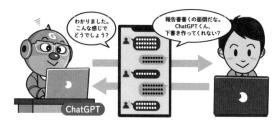

ChatGPT はどんなことができるの？

ChatGPT は人工知能により、質問に答える、対話を行う、文章を要約する、翻訳する、記事を作成するなど、あらゆるリクエストに応えます。さまざまなトピックに適切な回答を提供し、私たちと自然な形でコミュニケーションします。Web サービスやアプリと統合できるため、日常的に使っているツールに組み込めば、より使いやすくなるでしょう。ただし、ChatGPT に蓄えられた知識は 2023 年現在では 2021 年 9 月までのものに限られているため、情報のリアルタイム性はありません。ChatGPT を使うときは、内容の正確性とともに、この点にも注意しておきましょう。

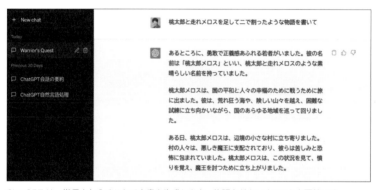

ChatGPT は、指示を与えることで文章を生成します。物語などをつくることも可能です。

ChatGPT はさまざまな言語で利用できます。指示をすれば翻訳も可能です。

ChatGPTの仕組み

Keyword GPT-3 / Transformer / Bard

　ChatGPTはLLM（Large Language Models）と呼ばれる大規模言語モデルの1つで、テキストを生成する際に次の言葉を予測します。大量のテキストデータを学習し、単語や文章のパターンを把握することで、**与えられた単語や文の状況に基づいて、次に来るべき言葉を予測**し、文章を作成します。

ChatGPT は、次にくる単語を予測している

　ChatGPTは、単語やフレーズの確率分布を計算し、高い確率で続く言葉を選択し続けることで、文章を構築していきます。予測は複数回繰り返され、最終的に自然な文章が生成されます。ChatGPTは2017年に発表されたディープラーニング（深層学習）モデル「Transformer」をベースにつくられています。このTransformerは、言葉の関連性や文脈を理解できるため、文章生成や対話など、さまざまなタスクを達成できます。

ChatGPT の仕組み

❶ AI：「おじいさんとおばあさんが…」90% ← こちらを採用！
AI：「3 匹の子豚が…」50%

❷ AI：「住んでいました。」90% ← こちらを採用！
AI：「倒れていました」50%

入力：
「昔々あるところに」の後に続けて。

出力：
おじいさんとおばあさんが住んでいました。

ChatGPT

ChatGPT と同様にテキストを生成する AI

Transformer アーキテクチャを採用したAIには、BERT、GPT-3、T5、RoBERTaがあります。BERT は、文脈理解に重点を置き、テキスト分類や質問応答などに使われます。GPT-3は言語生成タスクに優れていますが、規模や学習データが限定的で、生成された文が長くなると一貫性が失われる傾向があります。T5は、テキスト変換問題を通じて翻訳や要約などのタスクを統一的に解決します。RoBERTa は BERT の改良版で、事前学習用データセットを大幅に増強することにより、最適化された学習データと方法で高性能を発揮します。

これらのモデルは自然言語処理タスクで高い性能を発揮しますが、特徴や適用範囲が異なるため、目的に応じた選択が大切です。

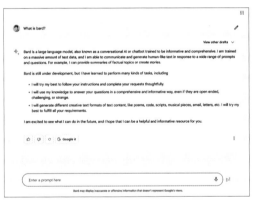

Google の Bard など、競合する AI も登場し始めています。

モデル名	特徴
BERT	BERTは、双方向性のTransformerエンコーダを使用して文脈を理解することに焦点を当てたモデルです。主にテキスト分類、名前付きエンティティ認識、質問応答などのタスクで使用されます。
GPT-3	OpenAI によって開発された GPT-4 の前身であり、同じくTransformer アーキテクチャを採用しています。自然言語生成タスクに強力なパフォーマンスを発揮しますが、GPT-4 に比べて規模は小さく、学習データも限定的です。
T5	Google Research によって開発された Transformer モデルで、あらゆる自然言語処理タスクをテキストからテキストへの変換問題として扱うことを特徴としています。これにより、翻訳、要約、質問応答などの多様なタスクを統一的に解決できます。
RoBERTa	RoBERTaは、BERTの改良版で、学習データ量や学習方法の最適化を行い、高いパフォーマンスを発揮します。テキスト分類や質問応答などのタスクで優れた成果を上げています。

ChatGPTを使えるようにする

Keyword Google アカウント／ Microsoft アカウント／ Sign up

ChatGPTは、**Webブラウザー でChatGPTの サイト (https://chat.openai.com/) にアクセスして利用**します。利用開始時にはアカウント登録が必要になります。

アカウントを登録する

ChatGPT のサイト
(https://openai.com/blog/chatgpt)
にアクセスし「Try ChatGPT」①を
クリックします。
(登録後、再度利用する際も「Try
ChatGPT」をクリックして開始す
ることができます)

「Sign up」②をクリックします。
(登録後は、ここで「Log in」をクリッ
クします)

メールアドレスを入力するか Google
アカウントや Microsoft アカウント
を用いてユーザー登録をします③。

確認メールが届くので、「Verify email address」④ をクリックします。

名前、生年月日など個人情報を入力し、登録を進めます⑤。

⑥ 携帯電話を入力し「Send code」をクリックし、SMSで届いたコードを入力します。いくつか ChatGPT の説明画面が表示されるので「Next」をクリックし、最後に「Done」をクリックします。

ChatGPT が利用できるようになりました。ログアウトするには、左下のアカウント名をクリックし、「Log out」をクリックします。

ChatGPTの使い方

Keyword 会話型アシスタント／テキストボックス／ Stop generating ／ Regenerate response

　ChatGPTはAI技術を活用した**会話型アシスタント**で、さまざまな質問や話題についての回答や会話が可能です。誰でも簡単に利用できるようになっているので、使いながら覚えていきましょう。まずはテキストボックスに質問したいことや話したいトピックを打ち込みます。

画面の構成と使い方

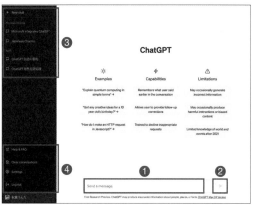

テキストボックス❶に質問やお願いしたいことを入力し、「紙飛行機アイコン」❷をクリックします。質問は画面左側❸に履歴として蓄積されていきます。左下のメニュー❹から、この履歴のクリアや各種設定が可能になっています。

回答が表示されます。

途中で止めたいときや続きを知りたいときは？

回答を途中で止めたいときには「Stop generating」❶をクリックします。

回答を再び表示させたいときには「Regenerate response」❷をクリックします。

質問を編集する

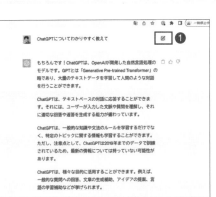

一度入力した質問（指示）を編集することもできます。質問の右端の編集アイコン❶をクリックします。質問を修正したら「Save & Submit」をクリックすると新たな回答が表示されます。こちらは履歴が残るので、修正前の質問と回答も見ることができます。

15

無償版と有償版の違い

Keyword ChatGTP Plus ／ GTP-4 ／ サブスクリプションプラン

ChatGPTは無料でも使用できますが、**有償版のChatGPT Plus**も用意されています。ここでは、ChatGPTとChatGPT Plusの違いについて紹介します。

無償版の ChatGPT と有償版の ChatGPT Plus

ChatGPT Plusは、ChatGPTの試験的なサブスクリプションプランです。ChatGPTにアクセスが集中しているときはChatGPTが使用できませんが、ChatGPT Plusを登録するとアクセスできるようになります。また、ChatGPTと比較すると応答速度が速く、新機能への優先的なアクセスも提供されています。

ChatGPT Plusを登録すると、GPT-4が使えるようになります。GPT-3とGPT-4を比べると、4の性能は格段に向上しています。

また、ChatGPT Plusではプラグインが使えるというのも大きな違いです。

ChatGPT Plus では、GPT-3.5 と GPT-4 とを切り替えられます。

	アクセス集中時	応答速度	新機能	価格
ChatGPT	使用できない	遅い	使用できない	無償
ChatGPT Plus	使用できる	速い	GPT-4を使用可能	月20ドル

ChatGPT Plus に申し込む

ChatGPT Plus は月額20ドルのサブスクリプションプラン。ChatGPT Plus を使えば、ChatGPTをさらに快適に使うことができます。ChatGPTは無償プランでも使えますが、しっかりと使う場合には、ChatGPT Plusに申し込んだ方がよいでしょう。

「Upgrade to Plus」❶ をクリックします。

「Upgrade Plan」❷ をクリックします。

必要な情報を入力し「申し込む」❸ をクリックします。

英語で指示した方が精度が高い!?

　ChatGPTは、日本語よりも英語で指示した方が回答の精度が上がることが知られています。ChatGPTで翻訳するという方法もありますが、DeepLなど翻訳精度の高いサービスを併用することで、ChatGPTをより活用できるでしょう。

　ChatGPTは、さまざまな言語に対応しており、日本語での応答も可能です。しかし、英語で指示を出すことで回答の精度が高まります。深い内容の質問や議論であれば英語で使用するといいでしょう。 英語を話せるユーザーにとっては、ChatGPTを英語で利用することが最適です。その一方で、英語が苦手というユーザーは、DeepL (https://www.deepl.com/translator) などの翻訳サービスを利用することが一つの解決策となります。翻訳サービスを用いることで、質問や応答の精度を向上させられます。 翻訳サービスを利用する際には、質問と応答の両方を翻訳する手間がかかることを覚悟しなければなりませんが、回答の精度を向上させるための有効な手段ですので、これらのサービスを活用しましょう。 ChatGPTの多言語対応は、世界中のユーザーが情報を共有し、知識を得る機会を提供しています。 今後のAI技術の発展に伴い、さらに多言語対応が進化し、各言語の回答精度も向上することが期待されます。ユーザーは、現在の技術を活用し、AIとのコミュニケーションを通じて、知識の獲得や問題解決を行っていくことが重要です。

DeepLを使えば
自然な翻訳ができる

第2章

ChatGPTでできること

本章では文章作成や翻訳、プログラムコードの生成
など、幅広い作業を支援してくれるChatGPTの
基本機能を紹介します。

ChatGPTと対話する

Keyword 対話／自然言語処理

ChatGPTは、ユーザーからの**質問や要望に対して自然言語処理で回答**します。質問や要望を入力すると、それに対して、まるで人と会話しているかのように自然な文章でリアクションが返ってきます。

対話する

ChatGPTに質問するのは簡単です。例えば、「**ChatGPTについて教えて**」というように、普段会話で使っているような言葉で指示すれば、それに対する回答が表示されます。

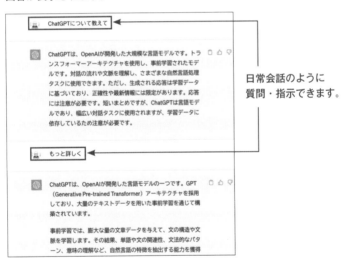

日常会話のように
質問・指示できます。

Memo
自然言語処理（Natural Language Processing）とは、人が日常的に使っている言語を機械で処理・分析する技術のこと。

対話を続ける

ChatGPTは、前に対話した内容も覚えており、その内容も考慮した返答を作成します。そのため、1つの問いに対して何度も対話を繰り返すことで知りたいことに近づけていくことができます。

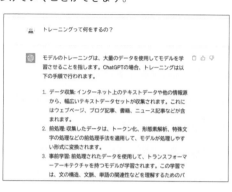

役割を与える

ChatGPTに役割を与えると、質問に対する回答が変わります。例えば、ある質問に対して賛成派・反対派それぞれの役割を与えれば、その役割に合わせた回答が返ってきます。

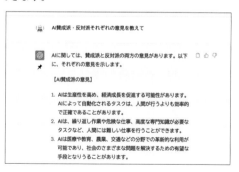

Memo

1回の応答で約2000文字までのテキストを生成します。長いテキストを生成するには、何回かに質問を分ける必要があります。

テキストを生成する

Keyword 文章の生成／文章の要約

ChatGPTは、AI技術を駆使して**文章（テキスト）の生成**を行います。簡単な質問や要望を投げかけることで、それに応じた適切な文章を生成します。

文章をつくる

何かの出来事や現象など、知りたいことについて解説してもらいたいときは、ChatGPTに「……について書いて（説明して）」などと指示します。例えば「オリンピックの歴史について簡単に書いて」と指示すれば、適切な文章が生成されます。

Memo
ChatGPTは指示に従って非常に整った文章を生成しますが、内容についてすべてが正しいとは限りません。必ず自身で内容確認を行うようにしましょう。

骨子を用意して文章をつくる

文章を書いてもらう際、その骨子をつくっておけば、その流れに従って文章を作成します。長めの文章を作成する際は、骨子を決めてから文章作成を指示しましょう。

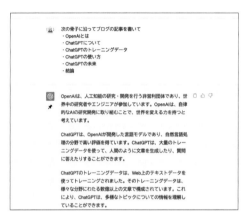

文章の要約をする

長い文章をChatGPTに要約してもらえば、文章の内容を簡単に把握できるようになります。「次の文章を要約して」と指示すれば、文章が要約されます。

情報を検索する

Keyword Web検索／出典／Chrome拡張

ChatGPTは、質問に対する適切な情報や答えを作成します。ただし、あらかじめ学んでおいたデータに基づいて回答を生成するため、**最新の情報や特定のWebサイトからの情報を取得することはできません。**それでも幅広いトピックに対して効率的に情報を提供する手段として使えば、便利に活用できます。

情報を検索する

知りたい情報をChatGPTに尋ねます。「……について教えて」というように指示をすれば、効率的に情報を得ることができます。

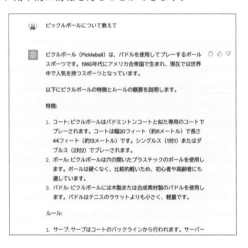

Memo
ChatGPTは、最新情報を検索することができません。ニュースやトレンドなどを調べる場合には、Web検索を使う方が確実です。

出典を確認できるサービスを使う

ChatGPTでは回答内容の正否を確認することができません。「新しいBing」
（Microsoftが提供するAI機能を融合した検索エンジン）のように、出典を表示
するサービスを使えば、「詳細情報」を参照することで内容の正確性を確認す
ることができます。

Bingのチャット機能の画面。
回答に出典（詳細情報）が表示
されます❶。

AIを使った検索エンジン
「Perplexity」（https://www.
perplexity.ai/）も出典表示が可
能です❷。

Memo

Chrome拡張などを活用することで、Web検索とChatGPTでの検索を同時
に行うこともできます。

文章を翻訳する

Keyword 翻訳／多言語対応／文章のトーン

　ChatGPTは翻訳も得意です。翻訳したい文章を入力し、翻訳先の言語を指定すれば、意味を保ったままで適切な翻訳を生成します。

　わざわざDeepLのような翻訳サービスを使わなくてもいいので便利です。

翻訳する

　「次の文章を英語に訳して」と指示をすると、文章を翻訳して表示します。多言語に対応しているため、プロンプトでターゲットとなる言語を指示できます。

> **Memo**
> ChatGPTは、さまざまな言語に翻訳できます。英語の文章を出力させて、「日本語に翻訳して」といった指示もできます。

翻訳した文章のトーンを変える

翻訳するときに文章のトーンについても指示すれば、シーンにあった翻訳ができます。

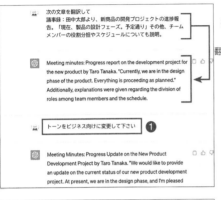

ビジネス向けにトーンを変えるように指示します**①**。

翻訳

理解しやすい平易な文章にするように指示します**②**。

ソースコードを生成する

Keyword プログラミング／ソースコード／デバッグ

　ChatGPTは**プログラミングにおけるソースコードを生成する**こともできます。必要な条件を指示すれば、生成したいソースコードがスピーディに作成されます。

コードを生成する

　ChatGPTで指示すればプログラミングのコードを出力できます。言語やどういった動作をさせたいのかといった指示をすることで、必要なコードが出力できます。ここでは「Pythonで都道府県を五十音に並び替える」といったコードを生成するように指示しています。

「Copy code」❶ をクリックすると生成されたコードをコピーすることができます。

Memo

Microsoft Excelの関数やVBAなどについても数式やコードの生成が可能です。日頃Excelを使うことが多いユーザーも活用できるでしょう。

デバッグや解説も得意

コードを入力し、バグがある場所やコードの解説をしてもらうこともできます。

エラーの理由と解決法を聞くと、その原因と正しいコードを表示してくれます。

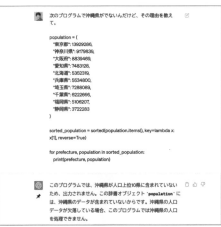

思ったように動作しない場合にも、その原因について教えてもらえます。

Memo

プログラムのコードが機密情報を含む場合、情報漏えいのリスクになります。
ChatGPTを使う際には、そのコードを貼り付けてもいいのか確認しましょう。

ChatGPT のセキュリティ

　ChatGPTで入力した内容は、ChatGPTの学習に使われます。そのため、利用者が意図せず個人情報や機密情報をChatGPTに入力し、情報が漏えいするリスクもあります。ここではそのリスクを軽減するための設定を紹介します。

　ChatGPTは、指示を与えることでメールの本文を考えてくれたり、クチコミの返事なども生成できます。また、エラーのあるソースコードを分析し、その要因や対処法を教えてもらうことも可能です。このような用途でChatGPTを使う場合、個人情報や機密情報をChatGPTに入力し情報漏えいするリスクがあります。

　ChatGPTを使う上で、個人情報や機密情報を入力しないようリテラシーを高める必要があるでしょう。また、ChatGPTに入力した情報を学習に使わないようにするため、ユーザーコンテンツのオプトアウトを依頼するという方法もあります。「User Content Opt Out Request」（https://docs.google.com/forms/d/e/1FAIpQLScrnC-_A7JFs4LbIuzevQ_78hVERlNqqCPCt3d8XqnKOfdRdQ/viewform?ts=63cec7c0）にアクセスし、オプトアウトをリクエストしましょう。これらの設定も活用しながらChatGPTを使用すれば、情報が漏えいするリスクを下げられます。

Settingsメニューで「Chat History & Traning」をオフにするとそれ以降のチャット履歴を保存しません。

第 **3** 章

ChatGPTを使ってみよう

ChatGPTは、プロンプトと呼ばれる指示や相談に対し
回答を表示します。本章ではChatGPTを活用するための、
より具体的なプロンプトについて解説します。

プロンプトとは

Keyword Zero-shot プロンプティング／Few-shot プロンプティング／Chain-of-Thought プロンプティング

　AIの言語モデルは、膨大な量のテキストデータを学習することで、受け取った入力に基づいてまるで人が書いたようなテキストを生成することができますが、効果的な指示（プロンプトと呼ばれます）がなければ、無関係ないしは無意味な応答を生成することがあります。プロンプトエンジニアリングとは、適切な出力を実現するために入力プロンプトを設計・改良することで、AI言語モデルと人間との対話を最適化するための技術のこと。AI言語モデルが文脈に応じた適切な応答をする上で、重要な役割を担っています。

基本的なプロンプトエンジニアリング

　ChatGPTは、入力された言葉に続く最も適切だと思われる単語を予測し、文章を作成していきます。そのため、「昔々」という入力に対しては「おじいさんとおばあさんが住んでいました」というように、続けることができるのです。

　「昔々」からはじまるおとぎ話を書いてほしいのであれば、このプロンプトでいいのですが、「昔々」という言葉の説明をしてほしいという場合には、適切な出力とはいえません。そこで、どういった作業をChatGPTにしてほしいのかプロンプトで伝える必要があるのです。プロンプトできちんと指示をすることで、想定した出力を得やすくなります。

―――― 指示を明確にする ――――

プロンプト例
五里霧中という言葉に続く文章を完成させてください。
回答例
五里霧中の中、道を見失った私たちは迷い込んだ。身の危険を感じながらも、勇気を振り絞って進むしかなかった。視界は曇り、未知の道は分からず、心は不安に包まれた。……（後略）

プロンプト例
五里霧中の意味を教えてください。
回答例
「五里霧中（ごりむちゅう）」は、日本語の四字熟語であり、ある特定の状況を表現する言葉です。直訳すると「五里の距離の中で霧に包まれること」となりますが、一般的な意味としては「方向や目的が見えず、進むことが難しい状態」……（後略）

Zero-shot プロンプティング

AIモデルに**事前情報など与えなくても、適切な応答を生成する**ことを「Zero-shotプロンプティング」といいます。非常にシンプルに使えるプロンプトエンジニアリングですが、常に適切な応答を生成するという保証はありません。より適切な応答を生成するためには、他の手法を試してみる必要があるでしょう。

プロンプト例

暑い日はどうしたらいい？

ランチは何がおすすめ？

Few-shot プロンプティング

「Few-shotプロンプティング」は、**AI言語モデルにいくつかの例を与えることで、特定のタスクに対する適切な応答を生成させるプロンプティング手法**です。これにより、与えられた例からパターンや目的を推測し、新しい入力に対しては適切な応答を生成します。

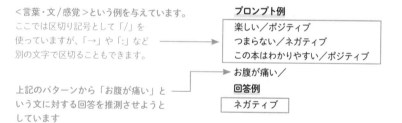

＜言葉・文／感覚＞という例を与えています。
ここでは区切り記号として「／」を
使っていますが、「→」や「：」など
別の文字で区切ることもできます。

上記のパターンから「お腹が痛い」と
いう文に対する回答を推測させようと
しています

プロンプト例

楽しい／ポジティブ

つまらない／ネガティブ

この本はわかりやすい／ポジティブ

お腹が痛い／

回答例

ネガティブ

Few-shotプロンプトを使うことで、ChatGPTが学習していない言葉を使った文章をつくることもできます。新語や流行語などを使った文章をつくる場合、文例を示すことで単語や文脈を理解し、文章を作成します。

ChatGPT が学習していない言葉を使ったプロンプト例

「てまえどり」とは、手前にある商品から購入していこうという取り組みのこと。陳列棚の手前にある消費期限が早めの商品から買うことでフードロスを防止しようという狙い。「てまえどり」という言葉を使って文章をつくってください。

回答例

私たちのスーパーマーケットでは、環境保護とフードロス削減に取り組んでいます。その一環として、「てまえどり」を推奨しています。つまり、陳列棚の手前にある消費期限が早めの商品を積極的に選んで購入していくことです。この取り組みにより、商品の無駄な廃棄を防止し、より持続可能な社会への貢献ができると信じています。お客様のご協力に感謝し、一緒に未来を明るくしていきましょう！

Chain-of-Thought プロンプティング

　Few-shotプロンプトでも上手く推論できない場合には、Few-shotプロンプティングに中間的な推論過程をあたえる「Chain-of-Thoughtプロンプティング」を使うと上手くいく場合があります。複数の関連するプロンプトを例示することで、複雑な問題でも適切な回答を生成することができるのです。

回答が間違えやすいプロンプト例：

次のグループの奇数を合計してください：37,81,29,46,55,99,61

回答例：

37 + 81 + 29 + 46 + 55 + 99 + 61 = 418
合計値が 418 となります。

ここでは、奇数の合計ではなく、単純に合計を回答しています。

Chain-of-Thought を用いたプロンプト例

次のグループの奇数を合計してください：37,81,29,46,55,99,61
" 次のグループで奇数を合計してください：54,23,87,10,46,98,64
A: このグループの奇数は（23,87）なので、それらを合計すると 110 になります。"
" 次のグループで奇数を合計してください：71,97,33,54,16,90,7
A: このグループで奇数は（71,97,33,7）なので、それらを合計すると 208 になります。"

回答例

このグループでの奇数は (37, 81, 29, 55, 99, 61) です。それらを合計すると 362 になります。

推論の過程を具体的に示すことで、回答にもその過程が反映されるようになります。

> **Memo**
> 中間的な推論過程を与えるため「ステップバイステップで考えてみましょう」という指示を付けることで、出力の精度を向上させることもできます。

知識生成プロンプティング

「知識生成プロンプティング」は、**AI言語モデルに新しい知識やアイデアを生成することを促すプロンプティング手法**です。この手法を使うことで既存の知識やデータに基づいて、ユーザーが求める情報や解決策を提供できるようになります。

プロンプト例：
情報1：………
情報2：………
情報3：………
上記を踏まえて………について教えてください。

プロンプトの要素

プロンプトには多くの場合、以下の表にあるようにいくつかの要素が含まれています。すべての要素が必要というわけではないのですが、プロンプトを設計する際に、意識してみるといいでしょう。

指示	実行してほしい指示・命令
追加情報	よりよい応答にするための追加情報
入力データ	わからないことや聞きたいこと
出力形式	出力のタイプや形式

Memo
ここで紹介した以外にも、さまざまな手法についての研究が行われています。プロンプトエンジニアリングの最新情報については、「知識生成プロンプティング | Prompt Engineering Guide」(https://www.promptingguide.ai/jp)などに掲載されています。詳しく学びたい人は、こういった情報も参照してみてください。

目的を明確にしてテキストを生成する

Keyword フィードバック／アウトプット／プレゼンテーション

第2章では、簡単にChatGPTでできることを紹介してきましたが、本章ではより精度の高い回答を得るために、条件の設定の仕方など、より具体的な指示の方法を紹介していきます。

ChatGPTは**物語や報告書などの文章を素早く生成**できますが、骨子に沿って文章を作れば、想定したとおりの文章ができますし、全く新しい視点で文章を執筆することもできます。もし、生成された文章が満足できない場合には、繰り返しフィードバックを行い、アウトプットの品質を向上させることができます。

文章を書く

「……について文章を書いて」と指示すれば、文章が作成されます。

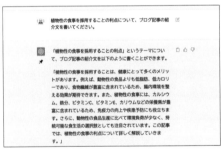

作成したい文章の内容を指示します。なるべく具体的に指示すると、要望にあった原稿が作成されやすくなります。

プロンプト例

……が主人公の小説を書いて

……に関するブログ記事を書いて

見出しをつくる

「……に関する記事の見出しを10個考えて」と指示すると、見出し案が作成されます。

見出しを考える際、ChatGPTをアイデア出しに使うことができます。プレゼンテーションの項目を考えるときにも使えるテクニックです。

プロンプト例

下記の文章に見出しをつけてください

下記の文章に見出し・小見出しをつけてください

言い替える

言葉を言い替えたいときには、「……と同じ意味で言い替えてください」と指示すれば、言い替えた文章が作成されます。

単語などを言い替えたいときに使えるテクニックです。「小学生でもわかるように」というような追加の指示を入れると、その指示に沿った形で文章が生成されます。

プロンプト例

小学生でもわかるように言い替えて

もっとわかりやすいように言い替えて

ビジネス表現に言い替えてください

条件を明示し文章を要約する

Keyword 要約／箇条書き

報告書や議事録など長い文章を読み解き、内容を把握したいときには、**ChatGPTで文章を要約すると便利**です。議事録やリリース、論文なども簡単にポイントを掴むことができ、タイムパフォーマンスが向上します。ここではChatGPTで要約する方法を紹介します。

文章を要約する

ニュースや議事録など長い文章を要約すると短い時間で内容を把握できます。短時間で大まかな内容を掴みたいときに使うといいでしょう。

この文章を要約してください

ChatGPTは、OpenAIが開発した自然言語処理技術の一つで、文章生成や自然言語理解、文章の要約、翻訳などに利用されている。ChatGPTは、大量のテキストデータを学習し、人間と自然な会話をすることができる。しかし、ChatGPTには課題もあるため、倫理的な観点から注意が必要である。

↻ Regenerate response

Send a message.

「次の文章を要約して」というような指示をすることで文章を簡単に要約できます。

プロンプト例

次の文章を要約して

次の文章を小学生でもわかるように要約して

次の文章をSNSに載せるように要約して

Memo
ChatGPTで文章要約を行と、その過程で情報が失われる場合があります。要約後の文章については、必ず原文を参照するようにしましょう。

要約を箇条書きにまとめる

　よりポイントを絞りたい場合には、要約した内容を箇条書きで出力するよう指示すると便利です。

「次の文章を、3つのポイントに要約してください」というように指示すると、文章の要点が簡単に理解できます。

要約した文章をどれくらいの分量でまとめるかも指示できます。文字数を指定したり、段落数を指定したりしてまとめることができます。

プロンプト例

次の文章を箇条書きにまとめて

次の文章の要点を 2 段落にまとめて

文字数を調整する

Keyword 文字数調整

　ブログ記事やレポートの文字数制限がある場合や、SNSに投稿する場合には、**ChatGPTで文字数を調整する**といいでしょう。文章の意味を変えず、必要な情報を的確に伝えることができます。

文字数を指定し文章を削る

　長い文章を指定の文字数にまとめるときに便利な機能です。要約と似ていますが、文字数に制限がある場合には、文字数を指定して文章を調整します。

「この文章を140文字に短縮してください」のように指示すると、簡単に文字数を調整できます。SNSなど文字数制限がある場合に使える機能です。

プロンプト例

次の文章を300文字に短縮して

SNS用に140文字にして

> **Memo**
> 文字数調整をする際、SNS用と指示をすると、ハッシュタグを生成することもできます。

異なる文字数の要約を作成する

　SNS用、ブログ用のように、文字数が異なる要約が複数必要な場合、「この文章を要約してください。ただし、SNSとブログ記事の紹介に使いたいので、SNS用の140文字の要約とブログ紹介用の300文字の2つの要約を作成してください」といった指示をすることで、文字数を調整できます。

指示の仕方を工夫すれば、必要な文字数の要約が作成できます。

プロンプト例

次の文章を要約してください。ただし、
ブログ用300文字とSNS用の140文字の
2つの要約を作成してください

文字数を増やす

文字数が足りない場合に、原稿を追加することもできます

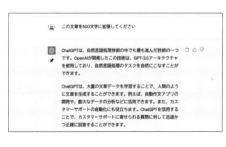

「この文章を1000文字に拡張してください」というように、増やしたい文字数を指定します。

プロンプト例

この文章を1000文字に拡張して

次の文章に500文字ほど追加して

理由や根拠、方法論を尋ねる

Keyword 根拠／方法論／具体例

特定の意見や主張に対してその**根拠を知りたい場合**や、特定の出来事や現象についてその**原因や理由を尋ねたい場合**にも ChatGPT は有効です。情報の信憑性や正確性を確認したい場合には、ChatGPT に理由や根拠を尋ねるといいでしょう。

主張の根拠を聞く

ある主張に対する根拠を ChatGPT に尋ねることで、その主張をより深く理解できます。さまざまな視点や論拠を考察する際にも ChatGPT は便利です。

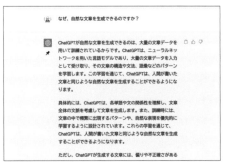

> なぜ、自然な文章を生成できるのですか？
>
> ChatGPTが自然な文章を生成できるのは、大量の文章データを用いて訓練されているからです。ChatGPTは、ニューラルネットワークを用いた言語モデルであり、大量の文章データを入力として受け取り、その文章の構造や文法、語彙などのパターンを学習します。この学習を通じて、ChatGPTは、人間が書いた文章と同じような自然な文章を生成することができるようになります。
>
> 具体的には、ChatGPTは、各単語や文の関係性を理解し、文章全体の文脈を考慮して文章を生成します。また、訓練時には、文章の中で頻繁に出現するパターンや、自然な表現を優先的に学習するように設計されています。これらの学習を通じて、ChatGPTは、人間が書いた文章と同じような自然な文章を生成することができるようになります。
>
> ただし、ChatGPTが生成する文章には、偏りや不正確さがある

「なぜ、……なのですか？」とか「その理由は？」という指示をすることで、ChatGPT はその根拠を示すことができます。

プロンプト例

なぜ、……することができるのですか

……について、○○としての意見を教えて

> **Memo**
> 主張の根拠を聞くためのプロンプトは、役割を与える指示と組み合わせることで、さまざまな視点の意見を表示できるようになります。

方法論を聞く

ChatGPTは、さまざまな事象についてのベストプラクティスを提示することができます。「……する方法について教えて」と指示するだけで、必要な情報が表示されます。

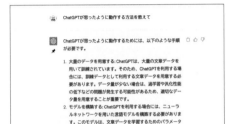

実現したいことの方法論を尋ねると、何をすればいいのか回答します。わからないことがあれば、追加で質問することでより詳しく解説してくれます。

プロンプト例

……する方法を教えて

……するために、何をすればいいの？

具体的な内容を聞く

回答が抽象的で、どういったときに適応できるのかわからない場合には「具体的に教えて」というような指示をすることで、具体例が提示されます。

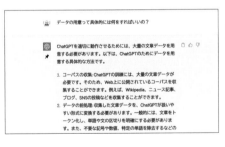

「具体的に」と指示すれば、何をすればいいのか具体的に教えてくれます。

プロンプト例

具体的にはどうすればいいの？

……について、具体的に教えて

別の方法を提案させる

Keyword 課題／解決策／改善策

　何らかの**課題に取り組んでいる**場合や、**アイデアや意見が必要**になったとき ChatGPTに別の方法を提案してもらうことができます。

他にどういう方法がある？

　現在取り組んでいる課題に対して何らかの解決策を提案されているとしましょう。その提案がいまひとつと考えているのなら、他の方法を探っていきましょう。他の方法を知りたいときには、「他にどんな方法がありますか？」「このアイデアを改善するには、どうすればよいですか？」「よりよい解決策を提供するために、何ができますか？」というように質問するとChatGPTが改善策を提案します。

ある回答に対し、別の回答を聞きたいときには、続けて「他の方法は？」といった質問をしてみましょう。

プロンプト例

他にどんな方法があるの？

このアイデアを改善するにはどうすればいいの？

よりいい解決策を提供するために何をすればいいの？

他の人はどう解決してる？

　問題解決の糸口が見つからないとき、周りの人達がどういった方法で解決しているのか尋ねると、その回答を得ることができます。現在取り組んでいる方法と別の解決策を知りたいときに便利なプロンプトです。

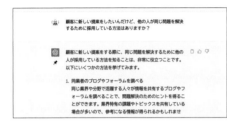

「他の人が同じ問題を解決するために採用している方法はありますか？」というように質問することで、別の解決策を得られます。

プロンプト例

他の人が同じ課題を解決するために採用している方法はありますか？

他の人はどう解決しているの？

欠陥をどう補完する？

　これまでパソコンで作業をする場合、ユーザーが具体的な内容を考えて指示しなければなりませんでした。しかしChatGPTに「こんな内容で作業したいけど、何か不足しているものはないか」と相談すれば、現状で考えられる欠陥を洗い出し、その対処法まで提案してくれます。

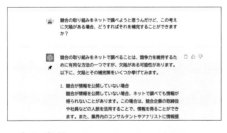

「この考えに欠陥がある場合、どうすればそれを補完することができますか？」というように指示をします。

プロンプト例

……だと思うんだけど、この考えに欠陥がある場合、どうすれば、それを補完することができる？

……について足りない質問があれば教えて

役割を与える

Keyword タスク／トピック／役割

　ChatGPT は、さまざまなタスクをこなすことができますが、**役割を与えること**で、**より特定の目的に合わせた回答を生成する**ことができます。例えば、特定のトピックに関する回答を得たい場合や特定の分野の知識を持つ専門家のような回答を得たい場合、ある特定の質問に対して最適な回答を得たい場合などに有効です。

あなたは……です

　役割を与える際によく使うのが「あなたは……です」というプロンプトです。たとえば、「あなたは顧客です」と指示してから、マーケティング活動についてのやり取りをしてもいいですし、「あなたは弁護士です」という指示をすれば、法的な見地からの意見をもらうこともできます。

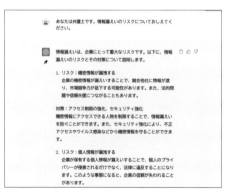

役割を与えた上で指示することもできますし、役割を与えて、会話を続けることもできます。

プロンプト例

あなたは……として振る舞ってください

あなたは……です。……についてどう思いますか？

専門家になってもらう

「このトピックに関する専門家のような回答を教えてください」「この分野について詳しく知っている人のような回答を教えてください」というように質問すると、ChatGPT が専門家の振る舞いをします。

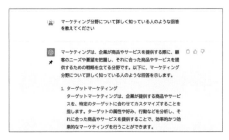

「この分野について詳しく知っている人として回答してください」というように指示します。

プロンプト例

あなたはこの分野の専門家として回答してください

この分野について詳しく知っている人として教えてください

複数の役割を与える

違った立場からの意見を聞きたい場合、「専門家A、専門家B、専門家C、それぞれの立場から」とか「賛成派・反対派の立場から」というように指示すると、それぞれの立場からの回答を得ることができます。

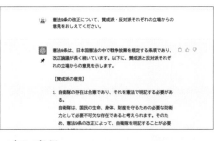

「賛成派・反対派それぞれの立場からの意見を教えてください」というように指示すれば、賛成派・反対派の意見がわかります。

プロンプト例

賛成派・反対派それぞれの立場から意見を述べて

弁護士、顧客、社員それぞれの立場からの意見を教えて

Excelの関数について
教えてもらう

Keyword Excel 関数

Excelの関数について知りたいときや、**特定の関数の使い方や構文がわか
らない**ときにChatGPTを使用することができます。また、新しい関数を学び
たいときや、より高度な機能を学びたいときにも使えます。

特定の関数について教えてもらう

Excelの関数について詳しく知りたいときにもChatGPTが活用できます。「……
の関数の使い方について教えて」というような指示をすれば、関数の動作や使い方
を詳しく教えてもらえます。

「ExcelのIF関数とは何ですか?」
「ExcelのCOUNT関数とAVERAGE
関数の違いを教えてください」という
ように指示をすることで、関数の使い
方や動作を学ぶことができます。

プロンプト例

Excel 関数の使い方を教えてください

平均を調べる Excel 関数を教えて

関数の動作について解説してもらう

他の人がつくったExcelデータを利用するとき、そこで使われている関数やマクロがどのような動作をするものか知る必要があります。その際にもChatGPTは活用できます。

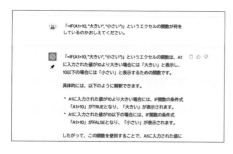

「この関数はどういうことをしているのか教えてください」と指示することで、関数の動作を説明してもらえます。

プロンプト例

上記の Excel の数式の意味を教えてください

アイデアに沿った関数を教えてもらう

やりたいことをプロンプトに入力すると、Excelで必要な作業などを教えてもらうことができます。

Excel で……の項目を調べたい」というように実現したいことをChatGPT に問い合わせると、その実現方法を教えてもらえます。

プロンプト例

Excel で月次のデータを前年度と比較したいが、適切な関数は？

さまざまな言語で
プログラムを生成する

Keyword プログラム生成／Python／JavaScript

ChatGPTは**プログラム生成にも利用される**ことがあります。特定の機能を実現するためのソースコードをChatGPTにより自動生成できます。

目的のソースコードを生成する

プログラミングにおいて、どのように動作するプログラムをつくりたいかを明確に指示をすることで、適切なコードを出力できます。その際、言語の指定をすることもできます。

「Pythonで、リストの中から最大値を取得するコードを教えてください」とか「JavaScriptで、ボタンがクリックされたときにアラートを表示するコードを教えてください」というように指示をすることで、適切なコードが出力されます。

プロンプト例

Pythonで、最大値を取得するコードを教えて

JavaScriptでボタンがクリックされたときにアラートを出すコードを教えて

他の言語に書き替える

任意のコードを別の言語に書き替えることもできます。

さまざまな言語に対応しているので、どの言語に書き替えるか指示します。

プロンプト例

次のコードを……（言語）で書き替えて

プログラムを読み解く

学習中の言語のコードや、古い言語のコードを読み解くのにも、ChatGPTを活用できます。

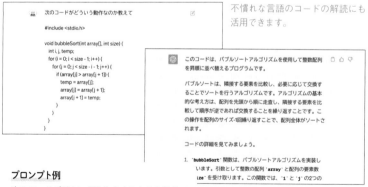

不慣れな言語のコードの解読にも活用できます。

プロンプト例

次のコードがどういう動作をするものか教えて

このコードを解説して

画像生成AIのプロンプトを つくる

Keyword table Diffusion ／ Midjourney ／画像生成 AI

　ChatGPT は、Stable Diffusion や Midjourney などの画像生成AIのプロンプト を作成できます。ここではプロンプトを入力するときの例について説明します。

どの画像生成 AI のプロンプトが必要なのかを指示

　ChatGPT にどの画像生成系AIのプロンプトが必要なのかということを伝え ます。

「Stable Diffusion のプロンプトをつ くることはできますか？」というよう に質問します。対応できる場合には、 その旨の回答があります。

プロンプト例

Stabble Diffusion のプロンプトを作成して

MidJourney のプロンプトを作るのを手伝って

> **Memo**
> Stable Diffusion は無償で使えますが、別途インストールやセットアップが 必要です。

条件を与えてプロンプトを生成する

画像生成AIに書いてもらいたい絵やイラストについての情報を伝え、プロンプトを生成します。

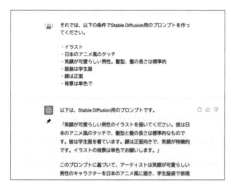

イラストのイメージを伝え、プロンプトを作成します。もしプロンプトが日本語で出力された場合には、「プロンプトは英語にして」というように追加で指示をします。

プロンプト例
(条件1、条件2、……)のイメージのプロンプトを作成して

次の条件に合ったプロンプトを作成して

プロンプトを英語に翻訳

出力されたプロンプトを画像生成AIのプロンプトとして入力します。

画像生成 AI を構築しているシステムにプロンプトを入力します。
(画面は Google Colaboratory で構築した Stable Diffusion のプロンプトに入力)

正規表現を考える

　検索や置換などをより便利にできる「正規表現」。文字列のパターンを抽出したり置換したりする際に使いこなせると便利ですがコマンドを覚えるのが難しく、諦めている人も少なくありません。ChatGPTを使えば、適切な正規表現について教えてもらえます。

正規表現を使って……をする方法を教えてください。

プロンプト例

1. 正規表現を使用して、メールアドレスを検索する方法を教えてください。

2. 正規表現を使用して、タブ区切りの2番目のカラムを抽出する方法を教えてください。

3. 正規表現を使用して、カタカナをひらがなに置換する方法を教えてください。

4. 正規表現を使用して、HTMLファイルからリンク先URLを抽出する方法を教えてください。

5. 正規表現を使用して、日付、時間、電話番号、メールアドレスなどの複数のパターンを同時に抽出する方法を教えてください。

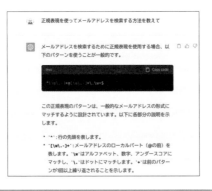

第 **4** 章

ChatGPT ビジネス活用法

本章では、より具体的にChatGPTを活用していく
ために、いくつかのビジネスシーンを想定し、
それぞれに合った活用法を紹介します。

販売・営業×ChatGPT

Keyword 販売・営業／ベストプラクティス

　一般的に、販売と営業は別の職種として認識されているかもしれませんが、商品やサービスを顧客に届けるという意味においては、共通する部分も多々あります。

　販売や営業部門のビジネスパーソンであれば、顧客とのコミュニケーションや商品知識の習得、提案力の向上など、幅広い業務でChatGPTの活用が可能でしょう。具体的な使い方について見ていきましょう。

想定される人物像

大学で経営学を学び、大手商社に入社。国内外の取引先との交渉や商品開発、プロジェクトマネジメントなど、幅広い業務を経験。複数の新規取引先開拓に成功し、高い営業成績を維持。クライアントとの長期的な関係構築などの実績がある。

主な業務

顧客との交渉・提案
新規取引先開拓
商品知識の習得・市場分析
営業戦略立案・達成
クライアントとの長期的な関係構築

よく使う ChatGPT 質問例

……に関する調査をするには どうすればいい？	必要派／不要派それぞれの 立場から意見を述べてください
論点をまとめてください	レポートをつくるので 構成を考えてください
文章を添削してください	売り上げの合計を表示する Excel の関数をおしえて
……についてのアンケートを 作成してください	Excel の次の関数が 何をしているのか教えて

▶ ChatGPT をこうやって使う

- ● 市場に関する調査を行う
- ● 市場調査のためアンケートを作成する
- ● 役割を設定し意見を整理する
- ● 論点をまとめ販売・営業戦略を練る
- ● レポートをまとめる
- ● 提案書などの校正や添削を行う
- ● Excel を使いこなす

　販売や営業に携わるビジネスパーソンの場合、商品や市場に関する情報をキャッチし、戦略としてのベストプラクティスを学ぶ利用法が考えられます。また、交渉時の効果的なアプローチやクライアントに適切な提案をする方法を習得することで、より効果的な営業活動を展開することもできます。

　ChatGPTを活用することで、業務の効率化と質の向上を実現しながら、取引先との関係を強化する方向性を探ってみましょう。うまく活用していけば、営業活動全体が活性化し、企業の競争力向上につながります。

市場に関する調査を行う

Keyword 報告書／キーワード／自然言語

　商品やサービスに関する市場を調査する場合、これまでは①Webで情報を
集める、アンケートやインタビューによる調査を行う、②それらの情報をまと
め、分析するといった作業が必要でした。Web検索では必要な情報を得るため
のスキルも必要で、時間と工数、ノウハウが必要な業務です。このような業務
もChatGPTを使えば、効率よく行うことができます。

ChatGPT で調査する

1. 自然言語で内容をそのまま伝える

> 男性のスキンケアに関する市場調査を行いたいがどう進めればい
> い？
>
> 男性のスキンケア市場調査を行うためには、以下の手順を追うこと
> がおすすめです。
>
> 1. 目的と範囲の設定：調査の目的を明確にし、どのような情報を収集
>   したいのかを定義します。また、調査の範囲を設定し、対象とす
>   る地域や年齢層などを明確にします。
> 2. データ収集方法の選択：どのような方法でデータを収集するかを選
>   択します。一般的な手法としては、オンライン調査、アンケー
>   ト、インタビュー、フィールド調査などがあります。選択する方
>   法は、調査の目的や予算、時間枠に
> 3. データの収集：選択した方法に基づ
>   ライン調査やアンケートの場合、
>   施することができます。インタビュ
>   は、対象となる男性に直接アプロー
> 4. データの分析：収集したデータを分
>   集計や統計処理、テーマの抽出など

指示の例

……（例えば化粧品）に関する
市場調査を行いたいがどのよう
に進めればいいでしょうか。

Memo

ChatGPTは、ニュースやトレンドなどリアルタイムの情報を調べることは
不得意です。物知りのアドバイザーとして、質問したり相談したりするよ
うにしましょう。

2. 具体的に聞く

> 男性のスキンケア製品についての市場を知りたいが、どうすれ
> ばいいでしょうか。
>
> 男性のスキンケア製品の市場についての情報を得るためには、
> 以下の方法を試すことができます。
>
> 1. インターネット検索: インターネットで男性向けスキンケア製
>   品の市場に関する情報を検索してみてください。多くの市場
>   調査会社やビューティーブランドが、男性向けスキンケア製
>   品の市場動向や成長予測についてのレポートや記事を提供し
>   ています。
> 2. 市場調査レポート: 市場調査会社のレポートを参照することも
>   有益です。一部の市場調査会社は、男性向けスキンケア製品
>   の市場規模、成長率、主要プレーヤー、トレンド、消費者の
>   行動パターンなどに関する詳細な情報を提供しています。例
>   として、Euromonitor InternationalやMarketResearch.comな

指示の例

……（男性のスキンケア製品）についての市場
を知りたいがどうすればいいでしょうか。

3. キーワードを含めて質問をする

> ‹ 2/2 男性のスキンケア製品についての競合他者の人気商品を教えて
> 下さい。
>
> 男性向けのスキンケア製品には、以下のような競合他社の人気
> 商品があります。ただし、2021年9月時点での情報ですので、最
> 新の市場動向に関しては確認が必要です。
>
> 1. クリニーク フォーメン（Clinique for Men）: クリニークの男
>   性向けスキンケアラインで、洗顔料や化粧水、保湿クリーム
>   などが人気です。特に、モイスチャライジング ローションや
>   スキン スティックが評価されています。
> 2. シャネル オールールオーヴェルトゥール ドゥ シャネル プー
>   ルオム（Chanel Allure Homme）: シャネルの男性向けスキン
>   ケアラインで、洗顔料やアフターシェーブローションなどが
>   あります。シャネルの高品質な製品として人気があります。
> 3. クレ・ド・ポー ボーテ プールオム（Clé de Peau Beauté Pour
>   Hom…
>   ンて
>   の読

指示の例

……（男性のスキンケア製品）において競合
他社の人気商品を教えてください。

市場調査のためのアンケートを作成する

Keyword アンケート／フォーム

アンケートを作成する際も ChatGPT が活用できます。ここではアンケートを作成する際の注意点や ChatGPT にアンケートを作成してもらう方法について紹介します。

アンケートをつくる

1.アンケートを作成する際の注意点を聞く

> 男性化粧品についてのアンケートを作成する際に、注意するべき点はありますか？
>
> 男性化粧品についてのアンケートを作成する際には、以下の点に注意することが重要です。
>
> 1. 質問の適切なフォーマット：アンケートの質問は明確で具体的であり、回答者が理解しやすい形式になっていることを確認しましょう。質問が曖昧だと、回答の品質や信頼性が低下する可能性があります。
> 2. 性別への配慮：男性化粧品についてのアンケートを作成する場合、回答者の性別に配慮することが重要です。男性向けの製品に関心のある男性に対してアンケートを行うため、質問や回答オプションを男性に適した形で設計しましょう。
> 3. オープンマインドなアプローチ：男性化粧品に対する社会的な見解は個人や文化によって異なる場合があります。アンケートを作成する際には、オープンマインドなアプローチを取り、さまざまな意見や経験に対応できるように心がけましょう。
> 4. プライバシーと匿名性の保護：アンケート回答者のプライバシーを保護し、匿名性を確保するために、個人情報を収集しないように

指示の例

……（商品／サービス名）についてのアンケートを作成する際に、注意するべき点はありますか？

2. アンケートを作成する

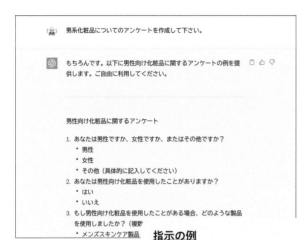

指示の例

……（商品／サービス名）についての
アンケートを作成してください。

3. 必要項目を含めたアンケートを作成する

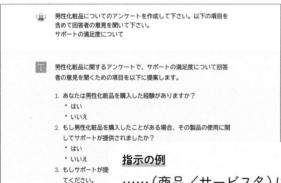

指示の例

……（商品／サービス名）についての
アンケートを作成してください。
以下の項目を含めて、回答者の意見を
お聞かせください。

役割を設定し意見を整理する

Keyword 企画／アイデア／役割

　販促企画や営業企画、アイデアを出す場合、さまざまな視点から物事を捉えた方が効率的に作業ができる場合があります。ChatGPTに役割を与えることで、考えを深めることができます。

さまざまな視点からの意見を聞く

1.ChatGPTに役割を与え、振る舞いをコントロールします

あなたは、化粧品会社の営業マンです。男性のフェイスケア商品の営業戦略について考えてみてください。

男性のフェイスケア商品の営業戦略を考える際には、以下の要素を考慮すると良いでしょう。

1. ターゲット市場の特定:まず、どのような男性をターゲットにするのかを明確にします。年齢層、ライフスタイル、職業など、ターゲット市場の特性を把握しましょう。例えば、若いビジネスマンやアスリートをターゲットにするか、年齢を問わず幅広い男性を対象にするかなど、明確なターゲットを設定します。
2. メッセージのカスタマイズ:ターゲット市場に合わせて、メッセージや広告をカスタマイズします。男性がフェイスケアに関心を持つ理由やニーズを理解し、それに応じた価値提案を行いましょう。例えば、肌の健康や清潔さ、プロフェッショナルなイメージ向上、自己表現の手段など、ターゲットのニーズと関連性のあるメッセ
3. デモ
   ケア商

指示の例

あなたは……（化粧品会社）の営業です。……（男性のフェイスケア商品）の営業戦略について考えてみてください。

Memo
役割を与えたら、そのまま会話をしてアドバイスをもらったり情報を得たりすることができます。

2. 複数の役割を与えてさまざまな視点を知る

> 男性フェイスケア商品について、必要派、不要派それぞれの立場の
> 意見を教えてください。
>
> 必要派の意見：
>
> 1. 肌の健康を維持するためには、男性もフェイスケアが必要です。
>   環境やストレスなどの要因から、男性の肌もダメージを受けるこ
>   とがあります。
> 2. フェイスケア製品は肌のトラブルを防ぐだけでなく、改善する効
>   果もあります。ニキビや乾燥肌などの問題を解決するために、適
>   切なケアが必要です。
> 3. 美容意識の高まりや社会の変化により、男性も自分自身の見た目
>   やイメージに気を使う傾向があります。フェイスケアは自己表現
>   や自信を高める手段として重要です。
>
> 不要派の意
>
> 1. フェイ
>   性は肌の

指示の例

……（男性フェイスケア商品）について、
必要派、不要派、それぞれの立場の意見を
述べてください。

3. 商品についてのステークホルダーの論点をまとめる

> あなたは化粧品会社の株主、販売店、取引銀行の担当です。それぞ
> れの立場で男性フェイスケア商品について論点をまとめてください
>
> 株主の立場：
>
> 1. 市場の成長ポテンシャル：男性フェイスケア市場は成長が見込まれ
>   ており、需要の拡大が期待されます。株主としては、この成長市
>   場への参入や市場シェアの拡大が重要な論点となります。
> 2. 競争力と差別化：競争が激化している男性フェイスケア市場で、自
>   社の商品がどのように競争力を持つのかが重要です。差別化され
>   た製品やブランド戦略、革新的なマーケティング戦略を論点とし
>   て考える必要があります。
>
> 販売
>
> 1.

指示の例

あなたは、……（化粧品会社）の株主、販売店、
取引銀行の担当です。それぞれの立場で……
（男性フェイスケア商品）について論点をまとめ
てください。

論点をまとめ販売・
営業戦略を練る

Keyword 論点／要約／箇条書き

　さまざまな意見がある場合、「論点」をはっきりさせることで、理解しやすくなります。長い文章を要約したり箇条書きを作成したりすることで、伝わりやすく明確な戦略を打ち出すことが可能になります。

論点をまとめる

1. 要約を作成する

弁証法は、複雑な問題や状況を包括的に捉え、対立や矛盾を解決するための有力な思考法です。その柔軟性と包括性によって、学問や社会の様々な領域で重要な枠組みとして広く活用されています。

👤 論点をまとめて

🔷 弁証法の要点をまとめると以下のようになります：　　　□ 👍 👎

📌 1. 対立の融合
2. 発展と変化の視点
3. 三段論法の使用
4. 社会変革と歴史の理解
5. 論理的思考の促進
6. 対立や矛盾の包括的な捉え方
7. 超越と合理性の追求
8. 科学的・哲学的思考への応用

以上が弁証法に関する要点のまとめです。

指示の例

論点をまとめて。

要約して。

> **Memo**
> 要約する際、文字数や段落数などを指定することができます。

2. メリット / デメリットを書き出す

ChatGPTについて、メリット、デメリットをそれぞれ5つ挙げて
ください。

ChatGPTのメリットとデメリットをそれぞれ5つずつ挙げます。

【メリット】

1. 豊富な知識: ChatGPTは広範なトピックに関する知識を持っ
   ており、様々な質問や会話に対応できます。
2. 自動生成能力: ChatGPTは文章を自動生成する能力があり、
   要約や翻訳、文章の執筆などのタスクに役立ちます。

指示の例

……について、メリット、デメリットをそれぞれ
5つ挙げてください。

……について、……の立場から、ポジティブ／
ネガティブな論点を5つ挙げてください。

> **Memo**
> 対立や矛盾する要素が相互に作用しあい、新たな形態や発展を生みだす
> 弁証法にも使うことができます。

3. 文章から論点を箇条書きに書き出す

この論点について、箇条書きについてまとめてください。

メリット:

* 豊富な知識
* 自動生成能力
* 学習能力
* 柔軟性
* サービスの利便性

デメリット:

* モデルの限界
* 情報の正確性
* 文脈の理解の限界
* バイアスの影響
* 意……

以上
す。

指示の例

論点について、箇条書きでまとめてください。

レポートをまとめる

Keyword レポート・報告書／文章作成／構成

　レポートや報告書を作成する場合、集めた情報だけでなく、伝えるための文章が必要です。しかし、文章を一からつくるのは時間と工数がかかります。ここではレポートの作成をChatGPTで支援する方法を紹介します。

必要な文章を作成する

1. レポートを作成する

指示の例

……（男性フェイスケア商品）についてのレポートをつくりたいので構成を考えてください。

Memo
「……の構成を考えて」と指示すれば、必要な文章の構成をChatGPTに考えてもらうことができます。

2. 構成を踏まえたレポートを作成する

> 上司からの依頼で，レポートを作成する必要があります。次の構成に沿って文章を作成してください。
> ・序章
> ・市場概要

> 【序章】
>
> フェイスケアは、近年ますます重要視されるようになってきた美容の一環です。美しい肌を保つためには、適切なスキンケアが欠かせません。近年、男性においてもフェイスケアの需要が増加しており、男性向けフェイスケア商品のレポートでは、男性フェイ〇し、その成長や需要の背景す。さらに、今後の市場展望
>
> 【市場概要】
>
> 男性フェイスケア商品の市場かつては女性が主なフェイス自分自身の外見や健康に対すことへの関心が高まっていま

指示の例

上司からの依頼で、レポートを作成する必要があります。次の構成に沿って文章を作成してください。
・序章
・市場概要

3. 目的と読者、構成、文字数を指定しレポートを作成する

> 男性フェイスケアの訴求を目的とする文章を作成します。読者は販売代理店です。次の見出し語とに500文字の原稿を作成してください。
> ・市場ニーズと課題
> ・潜在的な顧客
> ・当社製品のメリット

> 【市場ニーズと課題】
>
> 男性フェイスケア市場は急速な成長を遂げており、ますます多くの男性が自身の肌ケアに関心を持っています。昔と比べて男性の美容意識が高まったことや、社会的な変化によって、男性が自分自身をより良く見せたいというニーズが増加しています。しかしながら、この市場ではまだまだ課題が存在します。
>
> 男性の肌は女性とは異なる特徴を持っており、ひげ剃りや外部の刺

指示の例

……（男性フェイスケア商品の訴求）を目的とする文章を作成します。読者は……（販売代理店）です。次の見出しごとに500文字の原稿を作成してください。

提案書などの校正や添削を行う

Keyword 校正・添削／文体の変更

　ChatGPTを使えば、販売店や顧客への企画書・提案書などの作成の際に役立つでしょう。自分では気づきにくい「てにをは」や「誤字脱字」などもチェックできます。ここでは、文章の校正や添削をするプロンプトを紹介します。

文章を修正する

1. 文章を添削する

指示の例

次の文章を添削してください。

2. 修正理由を聞く

> 次の文章を添削し、修正が必要な箇所があれば、その理由をおしえてください。
>
> マイニング:ブロックチェーンの維持と新たな通貨の発行は、マニングと呼ばれる作業によって行われます。マイナーは、複雑な計算問題を解いて新たなブロックを生成し、報酬として仮想通貨を得ることができます。

> 修正が必要な箇所を指摘します:
>
> 1. 「マニング」という表記が誤っています。正しくは「マイニング」となります。
>
> 修正後の文章:
>
> マイニング:ブロックチェーンの維持と新たな通貨の発行は、マイニングと呼ばれる作業によって行われます。マイナーは、複雑な計算問題を解いて新たなブロックを生成し、報酬として仮想通貨を得ることができます。
>
> 修正した文章では、「マニング」の表した。

指示の例

次の文章を添削し、修正が必要な箇所があれば、その理由を教えてください。

3. 文体を変更する

> 文体をビジネス文章にしてください。

> 以下は、与えられた文章をビジネス文章の文体に修正したものです。
>
> 「マイニング:ブロックチェーンの維持と新たな通貨の発行は、マイニングと呼ばれる作業によって行われます。マイナーは、複雑な計算問題を解いて新たなブロックを生成し、報酬として仮想通貨を得ることができます。」
>
> 修正後の文章:
>
> 「マイニングとは、ブロックチェーンの維持と新たな通貨の発行を行うための作業です。マイナーは、高度な計算問題を解決し、新たなブロックを生成することで報酬として仮想通貨を獲得します。この仕組みにより、仮想通貨の安全性と信頼性が確保されます。」

指示の例

文体をビジネス文章にしてください。

Excelを使いこなす

Keyword Excel ／関数

　ビジネスパーソンには必須ともいえるMicrosoft Excel。Excelには便利な関数が多数用意されていますが、それらを適切に使うためには多くの知識が必要です。ChatGPTを使えば、必要な要望に応える関数についてのアドバイスをもらうことができます。

必要な Excel 関数について知る

1. 関数を教えてもらう

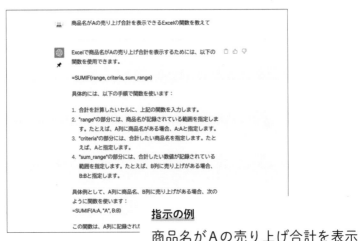

商品名がAの売り上げ合計を表示できるExcelの関数を教えて

Excelで商品名がAの売り上げ合計を表示するためには、以下の関数を使用できます。

=SUMIF(range, criteria, sum_range)

具体的には、以下の手順で関数を使います：

1. 合計を計算したいセルに、上記の関数を入力します。
2. "range"の部分には、商品名が記録されている範囲を指定します。たとえば、A列に商品名がある場合、A:Aと指定します。
3. "criteria"の部分には、合計したい商品名を指定します。たとえば、Aと指定します。
4. "sum_range"の部分には、合計したい数値が記録されている範囲を指定します。たとえば、B列に売り上げがある場合、B:Bと指定します。

具体例として、A列に商品名、B列に売り上げがある場合、次のように関数を使います：
=SUMIF(A:A, "A", B:B)

この関数は、A列に記録された

指示の例

商品名がAの売り上げ合計を表示
できるExcelの関数を教えて。

Memo
Microsoft Officeでは、ChatGPTと同様の生成AIを内包していく予定です。
今後はOfficeだけで同様の処理ができるようになるでしょう。

2. 条件によって内容が変わる関数・数式について聞く

> 売上が一定額以上の場合にはボーナスを支払いたいんだけど、
> そういったExcel関数はある？

> はい、Excelには売上が一定額以上の場合にボーナスを支払うた
> めの関数があります。そのためには、以下のような関数を使用
> できます。
>
> =IF(condition, value_if_true, value_if_false)
>
> 具体的には、以下の手順で関数を使います：
>
> 1. ボーナスを計算したいセルに、上記の関数を入力します。
> 2. "condition"の部分には、売上が一定額以上であるかどうかを
>   判定する条件を指定します。たとえば、売上が5000以上の場
>   合にボーナスを支払いたい場合、売上セルが5000以上かどう
>   かを判定する条件式を指定します。
> 3. "value_if_true"の部分には、条件が真の場合にボーナスとして
>   支払う金額や計算式を指定します。
> 4. "value_if_false"の部分には、条件が偽の場合に表示する値や
>   計算式を指定します（ボーナスがない場合に表示する値な
>   ど）。
>
> 具体例として、売上がA1セルに記録さ

指示の例

売上が一定額以上の場合には
ボーナスを支払いたいんだけど、
そういったExcel関数はある？

3. 関数や数式の内容について聞く

> 次の関数が何をしているのか教えて
> =SUMIF(A:A, "A", B:B)

> 与えられた関数は次のようになっています：=SUMIF(A:A, "A",
> B:B)
>
> この関数は、特定の条件に一致するセルの値を合計するために
> 使用されます。
>
> 具体的には、次の手順で関数が機能します：
>
> 1. "A:A"は、条件をチェックする範囲であり、A列全体を指定し
>   ます。この場合、セルA1からA最終行までが対象です。
> 2. "A"は、条件の値です。この場合、セルAの中で「A」と一致
>   する値を探します。
> 3. "B:B"は、合計する範囲であり、B列全体を指定します。この
>   場合、セルB1からB最終行までが対象です。
>
> 関数の結果として、条件に一致するセル（A列で値が「A」と一
> 致するセル）に対応するB列の値が合計されます。その合計値が
> 表示されます。
>
> 例えば、A列に商品名、

指示の例

次の関数が何をしているのか教えて。

商品企画・マーケティング× ChatGPT

Keyword 商品企画／マーケティング／分析

　商品企画とマーケティングは密接な関係性をもった職種です。商品やサービスを生み出していくには、マーケティングの力が必要ですし、生み出された商品を世に広めるためには商品企画との連携が重要になります。新商品開発、市場調査、広告戦略の立案など、幅広い業務を担当し、効果的なマーケティング戦略を実現するために ChatGPT を活用していきましょう。

想定される人物像

大手消費財メーカーで商品企画を担当。マーケティングの分野においても、豊富な経験を持つ。大学でマーケティングを専攻し、その後いくつかの企業でインターンシップを経験。新卒で現在の企業に就職し、さまざまな商品開発プロジェクトに関わる。

主な業務

新商品の開発と企画
市場調査と競合分析
広告戦略の立案と実行
ブランド戦略の策定
マーケティング活動の効果分析

よく使う ChatGPT 質問例

競合他社と比較して、どのような点が不足していると思いますか？

……について、どのような価格帯が妥当だと思いますか？

……を PR するための記事を作成してください

スケジュールを調整するためのメールの文章を作成してください

次の文章を箇条書きにまとめてください

返信メールを作成してください

……について 300 文字で説明してください

……について 3 つのポイントを教えてください

▶ ChatGPT をこうやって使う

● **市場のトレンドについて調査する**
● **マーケットや顧客ニーズを調査する**
● **プレゼンテーションを作成する**
● **スケジュールを調整する**
● **ミーティングの議事録を要約する**
● **ニーズの要点を絞り PR 資料をつくる**
● **さまざまな内容のメールを作成する**

　商品企画・マーケティングに携わるビジネスパーソンは、ChatGPT を活用することで市場動向や競合情報を素早く把握し、効果的な戦略の立案が期待できるでしょう。また、新商品のアイデアや広告キャンペーンの提案、顧客分析など、多岐に渡る業務を効率的に進めることができます。さらに、マーケティング活動の効果分析や ROI 計算にも役立てることで、効果的な戦略を実現しながら、業務の効率化と質の向上を図っていきましょう。

市場のトレンドを調査する

Keyword 役割／ロールプレイ／ニーズ

市場のトレンドについて調査する場合、リアルタイム性には少し考慮する必要がありますが、大きな流れを捉えるのにChatGPTを活用することができます（PlusユーザーであればP最新の情報にアクセスも可能→P.142参照）。まず、調査したい市場や顧客などについての情報をChatGPTに与え、トレンドやニーズを把握していきましょう。

役割を与えてロールプレイングする

1.必要な情報を与える

> あなたはAI OCRを販売している企業のマーケティング部門として振る舞ってください。
>
> ありがとうございます！私はAI OCRを販売している企業のマーケティング部門として、以下のようなサポートを提供します。
>
> 1. ブランド戦略の策定: AI OCRのブランドイメージを確立し、差別化するための戦略を立てます。目標顧客層や競合状況を分析し、独自のポジショニングを考えます。
> 2. ターゲット顧客の特定: AI OCRの利用価値が高いと考えられる業界やセグメントを特定します。顧客ニーズや課題に合わせたマーケティングメッセージを作り上げ、効果的なターゲティングを行います。
> 3.
>
> 4.

指示の例

あなたは……（商品／サービス）を販売している企業のマーケティング部門として振る舞ってください。

Memo
不足している情報についてもChatGPTに聞くことができます。特に調査している場合などには、ChatGPTに「足りないと思う情報があれば教えて」というように問い合わせ、アドバイスをもらうといいでしょう。

2. 競合や潜在ニーズについて調べる

> お客様が今最も求めているものは何ですか？
>
> お客様が最も求めているものは、具体的な情報が不足している
> ため、私には正確にはわかりません。ただし、AI OCRを販売し
> ている企業のマーケティング部門として、一般的なお客様の
> ニーズやトレンドについていくつかのポイントを共有できます。
>
> 1. 精度と信頼性: OCRの精度と信頼性は非常に重要です。お客
>   様は高い品質のOCR結果を求めており、正確なテキスト変換
>   やデータ抽出ができることを期待しています。
> 2. 多言語対応: グローバルな市場で活動する企業にとって、多言
>   語対応のOCR機能は重要です。お客様はさまざまな言語での
>   OCR処理や翻訳を必要としている場合があります。
> 3. ユーザーフレンドリーなインターフェース: 使いやすいインタ

指示の例

お客様が今最も求めているものは何ですか？

今後、お客様が求める商品やサービスは
どのようなものだと予想されますか？

3. 改善点や重要なポイントについて把握する

> 弊社の競合他社と比べて、どのような点が不足していると思い
> ますか？
>
> 申し訳ありませんが、私は具体的な企業の情報を持っていない
> ため、直接的な競合他社との比較や不足点の特定はできませ
> ん。競合他社との比較を行うためには、それぞれの企業の製品
> やサービスの特徴、価値提供、顧客満足度などの情報が必要で
> す。

指示の例

弊社の競合他社と比べて、どのような点が
不足していると思いますか？

当社の商品やサービスについて、どのような
改善点があると思いますか？

お客様にとって最も重要な商品やサービスの
特徴は何だと思いますか？

マーケットや顧客ニーズを調査する

Keyword 市場／顧客ニーズ／課題

　ChatGPTに顧客として振る舞ってもらうことで、顧客の視点を得たり、自社商品／サービスの強みや課題などを知ることができます。

顧客からの視点を得る

1. 顧客として振る舞ってもらう

> 4. **サポートとカスタマーサービス**：顧客サポートやカスタマーサービスの質や迅速な対応は、お客様の満足度や忠誠心に影響を与えます。競合他社と比べて、より優れたサポート体制や顧客満足度向上の取り組みを行っているかどうかを検討してみてください。
>
> これらは一般的な観点ですので、具体的な競合他社との比較は、各企業の個別の強みや弱点に基づいて行う必要があります。自社の独自性や競争力を明確にし、それに基づいた戦略の立案や改善点の特定を行ってください。
>
> 🧑 あなたは顧客です
>
> 🤖 申し訳ありません、私はAIのチャットボットであり、実際の顧客ではありません。ただし、私は顧客の視点から一般的な情報やアドバイスを提供することができます。何か具体的な質問やお困りの点があればお知らせください。できる限りお手伝いします。

指示の例

あなたは、……（商品／サービス）の顧客です。

> **Memo**
> ChatGPTに人間としての役割を与えようとした場合、「私はAIのチャットボット（言語モデル）であり……」（好みや感情がない）といった応答が返ってくる場合がありますが、その際にはより具体的な質問をするなど、工夫してみましょう。

2. 必要な情報を得る

> あなたが求めるサービスや商品の最大の利点は何ですか?
>
> 私はAIのチャットボットであるため、直接的な欲求や利点を持つ顧客ではありません。ただし、一般的な顧客の視点から、サービスや商品の利点についていくつかのポイントを挙げることができます。

指示の例

あなたが求めるサービスや商品の最大の利点は何ですか?

どのような課題を抱えており、それを解決するためにどのような製品が必要ですか?

あなたが商品やサービスを選ぶ際に最も重視する要素は何ですか?

3. 改善点や商品開発に繋がるのアイデアを聞く

> 今まで使ってきた同様の商品やサービスで不満だった点は何ですか?
>
> 一般的な顧客の不満点として、以下のような要素が挙げられます:
>
> 1. 不正確な結果やエラー:同様の商品やサービスを利用した際に、不正確な結果やエラーが発生することがあります。これはOCRの場合、テキストの誤認識やデータの抽出ミスなどが含まれます。
> 2. 使いにくいインターフェース:商品やサービスのインターフェースが使いにくかったり、操作が複雑だったりすることが不満の一因です。直感的で使いやすいインターフェースが求められます。

指示の例

今まで使ってきた同様の商品やサービスで不満だった点は何ですか?

あなたが求める商品やサービスに対して、どのような価格帯が妥当だと考えますか?

プレゼンテーションを作成する

Keyword プレゼンテーション／スライド／箇条書き

　商品やサービスの企画プレゼンなどで使用するプレゼンテーション作成にも
ChatGTPを活用することができます。構成や文章などを作成してもらいながら、
必要なスライドを作成していきましょう。

スライドの構成を考える

1.構成を考える

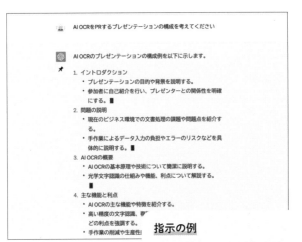

指示の例

……をPRするプレゼンテーション
の構成を考えてください。

> **Memo**
> イルシル（https://elucile.lubis.co.jp/）などのサービスを併用すれば
> スライド作成も簡単に行うことができます。

2. スライドにいれる箇条書きをつくる

> 主な機能と利点について3つのポイントを箇条書きしてください。

> AI OCRの主な機能と利点を以下の3つのポイントで箇条書きします。
>
> 1. 高度な文字認識精度：
>   * 高度な光学文字認識技術により、高い精度で文書内の文字を正確に認識します。
>   * 手書き文字や異なるフォント、言語にも対応し、信頼性の高い結果を提供します。
>   * 誤認識や入力エラーのリスクを軽減し、データの品質と正確性を向上させます。
> 2. 自動データ抽出と効率化：
>   * AI OCRは文書内のデータを自動的に抽出し、データ入力作業を大幅に削減します。
>   * 名前、住所、日付などの特定の情報を抽出し、データベースやシステムに直接統合することができます。
>   * 手動でのデータ入力にかかる時間と労力を節約し、業務の効率化を実現します。
> 3. 柔軟な言語対応とスケーラビリティ：
>   * AI OCRは多言語に対応しており、異

指示の例

……について3つのポイントを
箇条書きにしてください。

3. 補助的な説明の文章をつくる

> 効率化を実現します。
> 3. 柔軟な言語対応とスケーラビリティ：
>   * AI OCRは多言語に対応しており、異なる言語で記載された文書を処理できます。
>   * 国際的なビジネスや多文化環境での活用に適しています。
>   * 大量の文書データを迅速かつ正確に処理することが可能であり、スケーラビリティにも優れています。
>
> これらの機能と利点により、AI OCRは文書処理の自動化やデータ管理の改善に貢献し、業務効率化と品質向上を実現します。

> 高度な文字認識精度について100文字で説明して

> AI OCRの高度な文字認識技術は、文書内の文字を驚くほど正確に認識します。様々なフォントや手書き文字、異なる言語にも対応し、信頼性の高い結果を提供します。入力エラーや誤認識のリスクを最小限に抑え、データの品質と正確性を向上させます。これにより、手作業での文字入力の手間を省き、迅速かつ効率的な文書処理が可能となります。

指示の例

……について300文字で説明して。

スケジュール調整をする

Keyword スケジュール／調整／タスク

　ChatGPTは、さまざまなスケジュール調整や周辺の業務もサポートしてくれます。ここではスケジュール調整業務をメインにChatGPTの便利なプロンプトを紹介します。

スケジュールの作成・調整の支援

1. タイムスケジュールをつくってもらう

　　オンラインイベントのタイムスケジュールを考えてください。
　　200人参加、13:00開始、16:00終了の予定

　　オンラインイベントのタイムスケジュールの例を以下に示します。

　　13:00 - 13:15: オープニング・ウェルカム

　　・参加者への挨拶とイベントの概要説明

　　13:15 - 14:00: キーノートスピーチ

　　・トップスピーカーによる基調演説

　　14:00 - 14:30: パネルディスカッション

　　・複数のパネリストによるディスカッションセッション

　　14:30 - 15:00: 休憩

　　・参加者が休憩を取る時間

　　15:00 - 15:45: 分科会セッション

　　・参加者を複数の分科会に分けてセッションを実施

指示の例

オンラインイベントのタイムスケジュールを
考えてください。
200人参加、13:00開始、16:00終了の予定

2. タスクの割り振りをお願いする

> 次のタスクを本日中に処理する必要があります。タイムスケジュールを考えてください。
> 13:00〜13:30 MTG
> イベントのタイムスケジュール作成
> Aさんから頼まれている市場調査

> 以下は本日中に処理するためのタイムスケジュールの例です。
>
> - 13:00 - 13:30: ミーティング (MTG)
>   - この時間枠をミーティングに予約します。MTGの目的や参加メンバーがわかり次第、詳細な情報を提供していただければ助かります。
> - 13:30 - 14:00: イベントのタイムスケジュール作成

指示の例

次のタスクを本日中に処理する必要があります。
タイムスケジュールを考えてください。
13:00〜13:30 MTG
イベントのタイムスケジュール作成
Aさんから頼まれている市場調査

3. スケジュールを調整するためのメールの文章をつくる

> スケジュールを調整するためのメールの文章を作成してください。
> 候補日は下記の通りです。
> 5/10,5/14,5/25

> 件名: スケジュール調整のお願い
>
> 拝啓、〇〇さん
>
> お元気でいらっしゃいますか。私たちの予定を調整するために、ご協力をお願いいたします。以下の日程候補について、ご確認いただき、可能な日時を教えていただければ幸いです。
>
> 1. 5月10日（火曜日）
> 2. 5月14日（土曜日）
> ?

指示の例

スケジュールを調整するためのメールの文章を
作成してください。
候補日は下記の通りです。
5/10,5/14,5/25

ミーティングの議事録を要約する

Keyword 議事録／要約／箇条書き

　ミーティングなどの音声を書き起こすサービスが増えています。それらの書き起こしをみればミーティングの内容がわかりますが、文章量が多いと内容を把握するまでに時間がかかります。そういう場合には、書き起こしの要約を作成すれば、より効率的に内容を把握できます。

要約やポイント、箇条書きを作成する

1. 要約を作成する

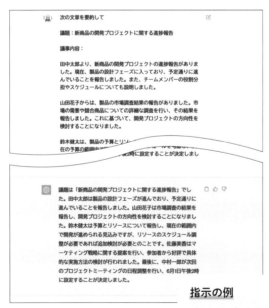

指示の例

次の文章を要約してください。

2. ポイントを押さえる

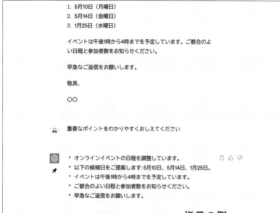

指示の例

次の文章の重要なポイントを
わかりやすく教えてください。

3. 箇条書きにまとめる

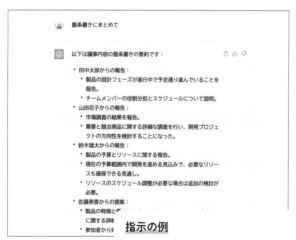

指示の例

次の文章を箇条書きにまとめてください。

さまざまな内容のメールを
作成する

Keyword メール／アポイント／謝罪メール

　商品やサービスを生み出し、世に広めていく過程で、商品企画とマーケティングは互いに密接な連携が必要になります。その際のコミュニケーションツールとしてメールは欠かせません。ここでは謝罪やアポイントなどで使えるメール本文を作成する方法や、返信の文章のたたき台をChatGPTにつくってもらう方法を紹介します。

メールを作成する

1. 謝罪メールの本文を作成する

指示の例

……というクレームに対する謝罪
メールの本文を作成してください。

2. 目的を持ったメールの文章を作成する

> お客様との関係を作ることの実現をゴールにしています。その
> ゴールに到達するため、新規のお客様に送るメールの文章を作
> 成してください。

> 件名: ご挨拶とご紹介のご案内
>
> 拝啓、〇〇様（お客様の名前）、
>
> 私たちは、新規のお客様との関係を築くことを大切なゴールと
> しています。この度は、ご興味をお持ちいただき、当社の〇〇
> （商品やサービス名）に関心を寄せていただき、誠にありがと
> うございます。
>
> 当社は〇〇（自社の特徴や強み）を活かした〇〇（商品やサー
> ビスの概要）を提供しております。お客様のニーズに合わせ
> て、最適なソリューションをご提供いたします。私たちは常に
> お客様の成功をサポートし、信頼できるパートナーとなること
> を目指しています。
>
> 新規のお客様に〇〇
> （具体的な特典
> けます。お客様
> すので、お気軽

指示の例

……の実現をゴールにしています。その
ゴールに到達するため、……さんに送る
メールの文章を作成してください。

3. 返信メールを作成する

> このメールに対して返信メールを作成してください

> 件名: Re: ご挨拶とご紹介のご案内
>
> 拝啓、〇〇様（差出人の名前）、
>
> お世話になっております。〇〇（会社名）の〇〇（自分の名
> 前）と申します。
>
> 先日いただいたご挨拶とご紹介のメール、誠にありがとうござ
> います。興味深く読ませていただきました。
>
> 〇〇（商品やサービス名）について、興味を持っております。
> 特に〇〇（具体的な点や機能）に関して詳しく知りたいです。
> また、特典や割引についても詳細を教えていただけますでしょ
> うか？
>
> お忙しい中、ご返信いただけると幸いです。よろしくお願いい
> たします。
>
> 敬具、
>
> 〇〇（差出人の名前）
> 〇〇（差出人の役職または所属先）
> 〇〇（差出人の連絡先情報）

指示の例

次のメールに対して返信メール
を作成してください。

ニーズの要点を絞り
PR資料をつくる

Keyword プロモーション／カスタマーサクセスストーリー

　新商品や新しいサービスをマーケットに展開しいく上で、PRは欠かせません。ChatGPTを活用しPR資料をつくりましょう。ChatGPTでは、直前の会話を覚えているので、必要なチャットをしながらPR資料をつくることができます。

何を PR するべきか明確にする

1. メリットを最大化する方法を探る

弊社の商品/サービスが顧客のニーズを満たす方法を説明してください。

当社のAI OCRソリューションは、顧客のニーズを効果的に満たすために以下の方法で貢献します。

1. 高精度なテキスト認識: 弊社のAI OCRソリューションは、高度なテキスト認識技術を駆使しています。これにより、印刷物や手書きの文書、画像など様々な形式のデータを正確かつ迅速にテキスト化することができます。顧客は信頼性の高いテキスト認識結果を得ることができ、繁雑な業務プロセスを効率化することができます。
2. 多言語対応: 弊社のAI OCRソリューションは、多言語に対応しています。さまざまな言語や文字セットに対応し、グローバルなビジネス環境でのニーズに応えることができます。顧客は国際的な業務や多言語文書の処理において、シームレスなテキスト変換を実現できます。
3. カスタマイズ性と柔軟性: 弊社のAI OCRソリューションは、カスタマイズ性と柔軟性に優れています。顧客の業界や特定のニーズに合わせて、OCRの設定やルールをカスタマイズすることができます。顧客は自社の要件に合わせた最適なOCR設定を実現し、精度と効率性を最大化することができます。
4. 統合性と拡張性: 弊社のAI OCRソリューションは、既存のシ

指示の例

弊社の商品/サービスが顧客のニーズを満たす方法を説明してください。

2. カスタマーサクセスストーリーをつくる

> 👤 顧客の声やフィードバックを取り入れた実績や成功事例を強調
> してください。
>
> 💬 当社のAI OCRソリューションは、顧客の声やフィードバックに
> 📌 基づいた実績と成功事例を誇っています。以下にいくつかの事
> 例をご紹介します。
>
> 1. グローバル製造企業A社:
> A社は大量の紙文書を扱っており、データ入力作業が非常に
> 時間と手間を要していました。AI OCRソリューションの導入
> 後、A社は作業時間を約70%削減し、さらに高い精度と信頼
> 性を実現しました。顧客からは「AI OCRのおかげで作業効率
> が劇的に改善し、人的ミスのリスクも減りました」とのフィ

指示の例

既存の顧客が弊社の商品 / サービスをどのように活用
しているか、具体的な事例を紹介してください。

顧客の声やフィードバックを取り入れた実績や成功
事例を強調してください。

第 4 章 ChatGPT ビジネス活用法

3.PR 資料をつくる

> 👤 製品/サービスをPRするための記事を作成してください
>
> 💬 タイトル:「革新的なAI OCRソリューションで業務効率を最大
> 📌 化」
>
> 導入すれば業務効率が飛躍的に向上するAI OCR（Optical
> Character Recognition）ソリューションをご紹介します。これ
> までのOCR技術の限界を超え、高度なテキスト認識とデータ抽
> 出を実現し、ビジネスプロセスの変革を支援します。
>
> 【顧客のニーズと課題の解決】
> 多くの企業が抱える課題は、手作業によるデータ入力の時間と
> エラー率です。しかし、AI OCRソリューションはこれらの課題
> に対して革新的な解決策を提供します。高い精度でテキストを
> 認識し、繁雑な業務を自動化することで、作業時間の短縮と人

指示の例

製品 / サービスを PR するための記事を作成して
ください。

小売・ECサイト×ChatGPT

Keyword EC ／プロモーション／顧客関係管理

　小売業界といっても、個人商店からチェーンストアまで幅広く、職種や仕事内容も多岐にわたります。ここではその中でも特にECサイト担当者の視点からChatGPTの活用を考えてみましょう。

　中小企業やベンチャーの場合、1人でECサイトの運用を行うことも少なくないでしょう。商品の選定、在庫管理、プロモーション戦略など、幅広い業務を担当していく上で、ChatGPTを活用しながら効率的な運用法を模索していきましょう。

想定される人物像

立ち上がったばかりのベンチャー企業でECサイトの運用を担当。専門学校でECサイト運営やWebデザインを学び、その後いくつかの企業でインターンシップを経験。新卒で現在の企業に就職、ECサイト担当者に。最近では、セールイベントの企画と運営、Webサイトのデザイン改善などにより、成果を出しつつある。

主な業務

商品の選定とカテゴリ管理
在庫管理と発注
プロモーション戦略の立案と実行
WebサイトのデザインとUI/UXの改善
売上・利益分析とKPI管理

よく使う ChatGPT 質問例

サイトの構成を考えてください

これまでの内容を踏まえて商品説明の文章を作成してください

魅力的なキャッチコピーを提案してください

クチコミの返信を作成してください

特定商品を数える
Excel の関数を教えて

どのようなメニューを設計すれば、使いやすくなりますか？

利点や使い方を、わかりやすく伝える方法を教えてください

これまでの内容を踏まえて商品の説明をつくってください

▶ ChatGPT をこうやって使う

● サイトの構成を考える
● 商品説明の文章を書く
● SNS 用に原稿をリライトする
● クチコミ／レビューの返事を書く
● 売り上げの分析に Excel を活用する

　ChatGPTを使うことで市場動向や競合情報などについて考察でき、効果的な戦略を立案できます。また、商品選定やプロモーション戦略の提案、顧客購買傾向の分析など、多岐に渡る業務を効率的に進めることができます。さらに、Webサイトのデザイン改善や在庫管理の最適化など、ECサイト運営に関するさまざまな課題に対応するためにも役立てていきましょう。

サイトの構成を考える

Keyword サイト／構成／UX／UI

　サイトの構成やUX／UIを考える際にもChatGPTが役立ちます。専門知識がなくてもChatGPTにアドバイスをもらえば、ユーザーにとって使いやすいページを作成できるのです。

UX／UI の改善も可能に

1. サイトの構成を考えてもらう

指示の例

製品／サービスをPRするLPをつくりたいと思います。サイトの構成を考えてください。

Memo
ワイヤフレームを作成してもらうことで、効果が上がりやすいサイトの構成についても把握できるようになります。

2. メニューを改善する

サイトのトップページに何を載せると、訪問者の関心を引きつけることができますか？

サイトのトップページには、訪問者の関心を引きつけるための魅力的な要素を組み込むことが重要です。以下にいくつかのアイデアを提案します。

1. 強力なキャッチコピー: ユーザーの注意を引くために、魅力的で短くて分かりやすいキャッチコピーをトップページに配置します。このキャッチコピーは製品/サービスの主要な利点やユーザーに提供する価値を強調するものであり、興味を引く役割を果たします。
2. ビジュアル要素: 魅力的で高品質な画像やビデオを使用して、製品/サービスの特徴や使い方を視覚的に伝えることができま

指示の例

どのようにしてサイトのメニューを設計すれば、ユーザーにとって使いやすくなりますか？

サイトのトップページに何を載せると、訪問者の関心を引きつけることができますか？

3. コンテンツの配置についてアドバイスをもらう

サイトのコンテンツの配置について、どのようにすれば見やすくなりますか？

サイトのコンテンツを見やすく配置するためには、以下のポイントに注意すると良いでしょう。

1. シンプルなデザイン: シンプルでクリーンなデザインを採用することで、コンテンツが明瞭に表示され、読みやすさが向上します。余計な装飾や複雑なレイアウトは避け、情報の整理と視覚的な階層を考慮しましょう。
2. 視覚的なヒエラルキー: コンテンツを視覚的に階層化し、重要な要素を強調します。大見出しや小見出し、ボールド体や色

指示の例

サイトのナビゲーションバーの表示方法について、アイデアを教えてください。

サイトのコンテンツの配置について、どのようにすれば見やすくなりますか？

商品説明の文章を書く

Keyword 商品説明／アドバイス／文章作成

　ECサイトなど多くの商品を取り扱う場合、商品の説明文を書く必要があります。ChatGPTを使えば、自社サイトに適した効果的な説明の書き方や盛り込む内容などのアドバイスをもらえるほか、実際に商品説明の文章をChatGPTに書いてもらうことができます。

特徴・メリットを明確にして文章を書く

1. 商品の特徴を効果的に伝える

> 商品説明の書き方について、アドバイスを教えてください。
>
> 商品説明は、顧客に対して製品の特徴や利点を伝え、購買意欲を高める重要な要素です。以下に商品説明の書き方に関するアドバイスをいくつかご紹介します。
>
> 1. ターゲット顧客を考慮する:
>   商品説明を作成する際には、ターゲット顧客を明確にし、その顧客層のニーズや関心事を考慮してください。それに基づいて、製品の特徴を強調し、顧客が得られる利益や価値を明確に伝えることが重要です。
> 2. 簡潔で明確な言葉を使用する:
>   商品説明は短くて分かりやすく、魅力的な言葉を使って要点を伝える必要があります。冗長な文章や技術的な専門用語を避け、一般の人でも理解しやすい言葉で書くように心掛けましょう。
> 3. 製品の利点を強調する:
>   製品の特徴だけでなく、それが顧客にもたらす利益や利点に焦点を当てましょう。具体的な問題の解決策として製品を位

指示の例

商品説明の書き方について、アドバイスを教えてください。

商品の特徴を効果的に伝えるために、どのような言葉を使えばいいでしょうか？

2. どういった内容を盛り込むか決める

商品の魅力を引き立てるために、どのような情報を商品説明に
盛り込むべきでしょうか?

商品の魅力を引き立てるために、以下の情報を商品説明に盛り
込むことをおすすめします。

1. 主要な特徴と利点:
   * 商品が提供する主要な特徴や利点を明確に伝えましょう。
     顧客が商品を選ぶ際に重視するポイントや問題の解決策と
     しての価値を強調します。
2. ユニークセリングポイント (USP) :
   * 商品が他の類似商品とどのように異なるのか、そのユニー
     クなセリングポイントを明確に示します。顧客にとっての
     付加価値や利点を強調しましょう。
3. 目標顧客へのターゲティング:
   *

指示の例

4. 視 商品の利点や使い方を、わかりやすく伝える
   方法を教えてください。

商品の魅力を引き立てるために、どのような
情報を商品説明に盛り込むべきでしょうか?

3. 文章を書く

これまでの内容を踏まえて商品説明の文章を作成して下さい

もちろんです。以下に商品説明の例を作成します。

商品名: XYZ AI OCRソフトウェア

【タイトル】
業界トップのAI OCRソフトウェアで、効率的なデータ処理を実
現

【説明文】
XYZ AI OCRソフトウェアは、高度な光学文字認識 (OCR) 技術
を活用した、優れたデータ処理ソリューションです。あらゆる
種類の印刷物や画像から、文字情報を素早く抽出し、正確に変
換することが可能です。

【特徴と利点】

* 高度なOCR技術: XYZ AI OCRは、
  ムを使用しており、高い精度で3

指示の例

これまでの内容を踏まえて商品
説明の文章を作成してください。

SNS用に原稿をリライトする

Keyword SNS／文字数調整／キャッチコピー／リライト

　SNSなどを使って販売促進活動をする場合、それぞれのSNSに適した文章にリライトすることでより高い効果を得る可能性が高まります。ここでは、元の文章をSNS向けにリライトする方法を紹介します。

SNS向けの原稿をつくる

1.文字数を調整する

指示の例

SNSに投稿するための原稿をリライトしてください。

Twitter や Instagram などの各種SNS用に、原稿を適切な長さにリライトしてください。

2. キャッチコピーを考える

> 🧑 SNSに投稿するため、より魅力的なキャッチコピーの提案をお願いします
>
> 🤖 もちろんです。以下に、SNSに投稿する際のより魅力的なキャッチコピーの提案をご紹介します。
>
> Twitter:
>
> 1. "業務のスピードを超える、XYZ AI OCRソフトウェア。データ処理の未来がここに。#AI #OCR #データ処理"
> 2. "文字を解き放て！XYZ AI OCRソフトウェアがあなたの業務を効率化。今すぐ試してみて！#AI #OCR #データ処理"
> 3. "手作業から解放される時代へ。XYZ AI OCRソフトウェアが革新的なデータ処理をもたらす。#AI #OCR #データ処理"
>
> Instagram:
>
> 1. "業務効率化の鍵、XYZ AI OCR減らして生産性を向上させよ～
> 2. "XYZ AI OCRソフトウェアが文を自動化し、あなたの仕事を理"
> 3. "データ処理のスーパーヒーロ

指示の例

SNSに投稿するため、より魅力的なキャッチコピーの提案をお願いします。

3. より魅力的な原稿にリライトする

> 🧑 投稿したい内容をより分かりやすく伝えるため、原稿を再構成してください
>
> 🤖 もちろんです。以下に、投稿内容をより分かりやすく伝えるために原稿を再構成した例をご提案します。
>
> Twitter:
>
> 1. "手書きのメモや印刷物、画像から瞬時に文字を抽出！XYZ AI OCRソフトウェアでデータ処理を効率化しませんか？業務のスピードを超える未来がここに。#AI #OCR #データ処理"
> 2. "作業効率を向上させる秘密はXYZ AI OCRソフトウェアにあります！時間と手間を削減し、正確なデータ変換を実現。詳細をチェック！#AI #OCR #データ処理"

指示の例

投稿したい内容をよりわかりやすく伝えるため、原稿を再構成してください。

投稿するターゲット層や投稿する時間帯などの情報を元に、効果的なSNS用原稿へとリライトしてください。

クチコミ／レビューの返事を書く

Keyword クチコミ／レビュー／返信

　ECサイトを運営している場合、ユーザーレビューなどが付く場合があります。レビューや要望に適切に応える際にも ChatGPT は便利です。

的確な返信を作成する

1. 注意点を聞く

> お客様からのクチコミへの返信を書く上での注意点を教えてください。
>
> お客様からのクチコミへの返信は、顧客とのコミュニケーションを大切にする重要な機会です。以下に、クチコミへの返信を書く際の注意点をいくつかご紹介します。
>
> 1. 迅速かつ丁寧な対応:
>   クチコミへの返信は迅速かつ丁寧な対応が求められます。顧客のフィードバックに対して適切な感謝の意を示し、問題や質問に対しては速やかに対応することが重要です。
> 2. 個別の対応:
>   クチコミへの返信はできるだけ個別に行うように心掛けましょう。顧客の名前を使用してパーソナライズし、彼らの特定の要望や感想に対して具体的な回答や解決策を提供することが良い印象を与えます。
> 3. ポジティブなトーン:
>   クチコミへの返信では、ポジティブなトーンで対応することが重要です。顧客の感謝とサポートへの感謝の意を示し、困難な状況や不満を抱えた顧客に対しても冷静かつ前向きなアプローチを心掛けましょう。
> 4. 問題解決への取り組み:

指示の例

お客様からのクチコミへの返信を書く
上での注意点を教えてください。

2. 改善点などを聞くコツ

> 商品やサービスに対するお客様の声に対して、どのように返信
> すればよいでしょうか？

> お客様の声に対して適切な返信を行うためには、以下のポイン
> トに留意することが重要です。
>
> 1. 感謝の意を示す:
>   まずはお客様の声に対して感謝の意を示しましょう。お客様
>   が時間を割いてフィードバックをくれたことに対して感謝の
>   気持ちを表明し、その協力とサポートに対して感謝の意を伝
>   えましょう。
> 2. 具体的なコメントに対して具体的な回答をする:
>   お客様が具体的な問題や質問を提示した場合には、具体的な

指示の例

商品やサービスに対するお客様の声に対して、どのように返信すればよいでしょうか？

お客様からの口コミに対して、問題点や改善点についての返信をする場合のコツを教えてください。

3. コメントを作成する

> お客様好意的な意見を頂きました。お返事するコメントを作成
> して下さい。

> お客様への返信コメントの例です。
>
> 「この度はご利用いただき、ありがとうございます！お褒めの
> 言葉に心から感謝申し上げます。私たちのチームは常に最高の
> 品質とサービスを提供することに全力を注いでいますので、お
> 客様が満足していただけていることをとても嬉しく思います。
>
> 今後もお客様の期待に応えるため、さらなる改善と向上に努め
> てまいります。お困りごとやご質問がございましたら、いつで
> もお気軽にお知らせください。お客様のご支持とお声が私たち
> の力となりますので、引き続きご愛顧いただけますと幸いで
> す。
>
> お忙しい中、貴重なご意見をいただき、ありがとうございまし
> た。今後もより一層のお力添えができるよう努めますので、ど
> うぞよろしくお願いいたします。」
>
> このような返信コ
> 謝の意を示すこと
> スの向上に努め

指示の例

お返事するコメントを作成してください。

売り上げの分析にExcelを活用する

Keyword 売り上げ／分析／関数

　ECサイトを担当している場合、実際の売り上げやレビューなどによる情報を適切に分析する必要があります。高価なBIツールを使わなくても、ChatGPTとExcelがあれば、自社にとって必要なシステムをつくることができます。

EC サイトの分析を Excel で支援

1.特定期間の分析を支援する

指示の例

特定の期間における商品の売上合計を
求める Excel の関数を教えて。

2. 商品の評価を数える

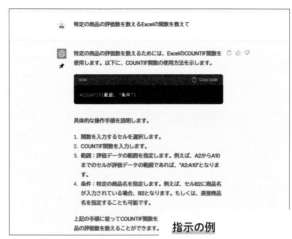

指示の例

特定の商品の評価数を数える
Excelの関数を教えて。

3. 在庫の欠品を表示する

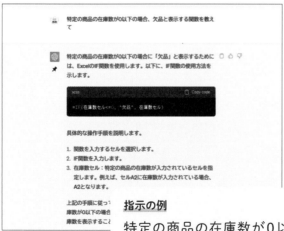

指示の例

特定の商品の在庫数が0以下の場合、
欠品と表示する関数を教えて。

起業家・経営者×ChatGPT

Keyword 経営／戦略／アイデア

起業家や起業を志す人にとってChatGPTは、情報収集や戦略立案、アイデア創出のための壁打ち相手としてなど広く利用ができそうです。まずは起業のタネとなる課題を見つけるところからはじまり、仮説の構築／検証、実際起業し商品やサービスをマーケットに投入する段階、経営者として会社の組織づくりや事業成長のための行動をおこす段階など、あらゆる局面での利用が考えられます。

想定される人物像

若い頃から起業に興味を持ち、大学では経営学を学び、留学も経験。卒業後はいくつかのベンチャー企業の立ち上げに関わりながら社会人としての経験を積む。その後独立し、経営コンサルタントとして活躍。現在は友人と立ち上げたファンド会社の代表取締役として、起業家などの支援を行っている。

主な業務

会社のビジョンと戦略の策定
組織運営と人事管理
新規事業開発と投資判断
事業や市場のリスク評価と対策
ステークホルダーとの交流

よく使う ChatGPT 質問例

市場のトレンドと最新テクノロジーを教えて	予算策定のポイントは何ですか？
……領域で求められているサービスは？	プロジェクト管理の効率化方法は？
組織運営、人事管理のベストプラクティスは？	競合他社の戦略分析を教えてください
新事業の市場分析を教えてください	ビジネスモデルのイノベーションのアイデアは？

▶ ChatGPT をこうやって使う

● アイデア出しをする
● マーケットサイズを調査する
● 顧客のロールモデルをつくり、商品について議論する
● 商品・サービスのメンタルモデルを理解する
● 専門家のアドバイスによるリスクヘッジを行う

　事業開発や市場分析に関するアドバイスを取り入れ、新しいビジネスチャンスを見つけたり、既存事業の強化をするためにChatGPTを活用していきましょう。さらに、組織運営や人事管理におけるベストプラクティスを学び、リーダーシップを発揮しながら組織の成長を支える役割を果たしていく上でも手軽な相談役として活用できるでしょう。

　具体的には、ChatGPTを活用して、経営戦略のアイデアを得たり、予算策定のポイントを押さえることができます。また、プロジェクト管理の効率化方法やビジネスモデルのイノベーションに関するアイデアの創出、起業家・経営者として効果的な意思決定を行う際にも役立つでしょう。

アイデア出しをする

Keyword アイデア出し／ビジネス拡大

新規ビジネスに関連するアイデアを考える際にもChatGPTは有効です。まず、業界知識や市場、顧客などの情報をChatGPTに与えて、ビジネスアイデアについて相談してみましょう。

アイデアの種をつくる

1.ビジネスを拡大するためのアイデアを練る

未来の生活をより便利にするための新しいテクノロジーは何ですか？

未来の生活をより便利にするための新しいテクノロジーのアイデアの一部を以下に示します：

1. スマートホームオートメーションシステム:
   家のさまざまな機能を自動化し、リモート制御するシステム。音声アシスタントとの統合やセンサー技術を活用し、照明、温度制御、セキュリティシステムなどを効率的に管理します。

2. AIによるパーソナルアシスタント:
   人工知能を搭載したパーソナルアシスタントシステム。ユーザーの日常のタスクや予定管理、情報検索、パーソナライズされ…

指示の例

未来の生活をより便利にするための新しいテクノロジーは何ですか？

地域社会の問題を解決するための社会的起業アイデアは何ですか？

Memo
ChatGPTは過去のデータを参照し回答を行います。回答がヒントとなる場合もありますが、革新的なアイデアはやはり自分自身で考える必要があるのかもしれません。

2. 現在のビジネスを拡大するようなアイデアを練る

> 教育やスキル開発の領域で革新的なアイデアは何ですか？

> 教育やスキル開発の領域での革新的なアイデアの一部を以下に示します：
>
> 1. オンライン学習プラットフォームの強化:
>   より対話的でエンゲージングなオンライン学習プラットフォームの開発。AIや仮想現実（VR）を活用したインタラクティブな教材やコラボレーションツールの導入により、遠隔地や柔軟な学習環境でも高品質な教育体験を提供します。
> 2. マイクロラーニング:
>   小さなチャンクに分割された短い学習モジュールを活用したマイクロラーニングの導入。スマートフォンやモバイルデバイスを活用し、いつでもどこでも学習ができる手軽さと柔軟
>   や
> 3.
>
> 4.

指示の例

新しい消費者ニーズに応えるための持続可能な商品やサービスは何ですか？

教育やスキル開発の領域で革新的なアイデアは何ですか？

3. 新しいビジネスをつくるアイデアを練る

> オンラインプラットフォームやアプリを活用した新しいビジネスモデルは何ですか？

> オンラインプラットフォームやアプリを活用した新しいビジネスモデルのいくつかの例を以下に示します：
>
> 1. シェアリングエコノミープラットフォーム:
>   物やサービスの共有を促進するプラットフォーム。宿泊施設の共有（Airbnb）、車のシェアリング（Uber）、スキルや知識の共有（TaskRabbit）など、ユーザー同士のマッチングや取引を仲介するビジネスモデルです。
> 2. オンデマンドサービスプラットフォーム:
>   ユー
>   専
>   デ
>   （
>   ま
> 3. 教
>   オ
>   動
>   （
>   ル

指示の例

オンラインプラットフォームやアプリを活用した新しいビジネスモデルは何ですか？

既存の業界における未開拓のニッチ市場は何ですか？

マーケットサイズを調査する

Keyword マーケットサイズ／調査手順・手法／マーケティング戦略

　実際の商品やサービスのアイデアがあっても、そこに市場はあるのか、成長性はどうなのかなど、マーケットサイズを調査する際にも ChatGPT が活用できます。

必要な手順を考える

1.調査の手順を調べる

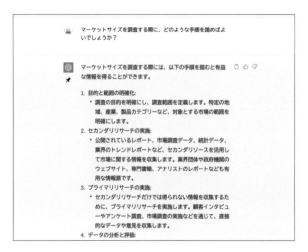

指示の例

マーケットサイズを調査する際に、どのような手順を踏めばいいでしょうか？

2. 手法を調べる

マーケットサイズを調査するための代表的な手法には、どのようなものがありますか?

マーケットサイズを調査するためには、以下の代表的な手法があります。

1. デスクトップリサーチ (セカンダリリサーチ):
   - インターネットやデータベースを活用して、公開されている情報や市場調査データ、業界レポートなどのセカンダリソースを収集します。これにより、市場の概要やトレンド、競合情報などを把握することができます。 ∎
2. 調査・アンケート:
   - 調査やアンケートを実施して、対象となる市場や顧客の意見や需要を直接収集します。オンラインアンケートや電話インタビュー、フィードバックフォームなどを活用して、定量的なデータや意見を収集することができます。 ∎
3. 顧客インタビュー:
   - 対象市場の顧客や利望、課題などを探求し場の傾向や需要の特とができます。 ∎
4. マーケットシェア分析:

指示の例

マーケットサイズを調査するための代表的な手法には、どのようなものがありますか?

3. マーケティング戦略を立てる

マーケットサイズ調査の結果から、どのようなマーケティング戦略を立てることができますか?

マーケットサイズ調査の結果から得られる情報を基に、以下のようなマーケティング戦略を立てることができます。

1. ターゲット市場の特定:
   - マーケットサイズ調査により、どの地域やセグメントが最も大きな市場であるかを特定します。その情報を基に、ターゲット市場を絞り込むことができます。 ∎
2. ニーズと要求の理解:
   - マーケットサイズ調査は、顧客のニーズや要求を把握するための洞察を提供します。これに基づいて、製品やサービスの特徴や機能を最適化し、顧客の要求に応えることができます。 ∎
3. マーケティングメッセージの開発:
   - マーケットサイズ調査によって得られたデータや洞察を活用し、魅力的で効果的なします。顧客のニーズ*スの利点を強調します。
4. セグメンテーションとター
   - マーケットサイズ調査場を適切なセグメントに

指示の例

マーケットサイズ調査の結果から、どのようなマーケティング戦略を立てることができますか?

顧客のロールモデルをつくり、商品について議論する

Keyword ロールモデル／顧客理解

　ビジネス戦略を考える際、顧客ニーズや期待値などを理解する必要があります。ChatGPTで顧客のロールモデルを作成すれば、顧客理解を深めることができます。また、多角的な視点から物事を捉えられるので、戦略を考える上で重要な視座を得ることができます。

顧客理解を深める

1. 顧客のロールモデルをつくる

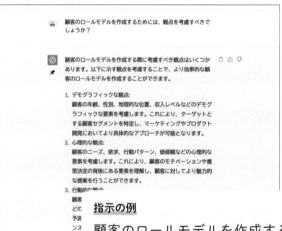

指示の例

顧客のロールモデルを作成するためには、観点を考慮すべきでしょうか？

> **Memo**
> 「……としてロールプレイングをします」と指示すると、ロールプレイングすることもできます。

2. ロールモデルとして振る舞ってもらう

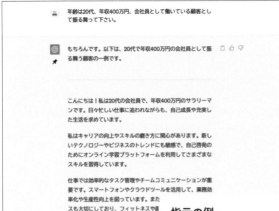

指示の例

年齢は……、年収……万円の
顧客として振る舞ってください。

3. 会話をする

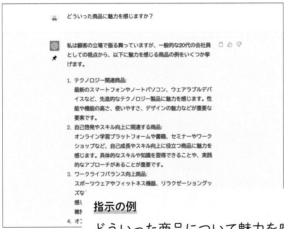

指示の例

どういった商品について魅力を感じますか？
……のような商品を購入する際に気にする
ポイントは？

商品のメンタルモデルを理解する

Keyword メンタルモデル／ビジネス戦略

誰もが自覚なく持っている価値観や思い込みである「メンタルモデル」を言語化することで、ビジネス戦略を立てやすくなります。ここではChatGPTを使って自社商品・サービスのメンタルモデルを理解する方法を紹介します。

商品理解を深める

1. 自社商品についての情報を与える

当社で扱っている商品はAI OCRです

了解しました。当社の扱っているAI OCR商品において、顧客のメンタルモデルを理解することの意味とメリットを説明します。

1. 顧客のニーズを理解する:
   顧客のメンタルモデルを理解することで、AI OCRに対する顧客のニーズを深く把握することができます。顧客がAI OCRをどのように捉え、どのような問題や課題に対して解決策として期待しているかを知ることが重要です。それに基づいて、AI OCRの機能や特長を顧客の期待に合わせてカスタマイズすることができます。
2. 商品の設計と改善:
   顧客のメンタルモデルを理解することで、AI OCRの使いやすさや機能を最適化するための設計や改善が可能です。顧客がAI OCRをどのように利用し、どのような使い方をするかを考慮し、直感的なインターフェースや効率的な機能を提供することができます。また、顧客のフィードバックや要望を反映させることで、製品の改善や新機能の追加を行います。
3. 顧客とのコミュニケーションと
   顧客のメンタルモデルを理解

指示の例

当社で扱っている商品は……です。

> **Memo**
> メンタルモデルをより詳しく理解するために、必要な情報をChatGPTに与えます。「足りない情報があれば、質問してください」とチャットすると、メンタルモデル理解に必要である情報をChatGPTに与えることができます。

2. 商品・サービスについてのメンタルモデルを聞く

> AI OCRのメンタルモデルは何ですか？ 説明してください。

> AI OCRのメンタルモデルは、次のような一般的なフローで構成されます：
>
> 1. 画像の入力: 最初に、OCRシステムに画像が提供されます。これは、スキャンされた文書、写真、またはデジタル画像などの形式である場合があります。
> 2. 画像の前処理: 入力画像は、OCR処理のために事前に処理されます。これには、画像の回転や補正、ノイズの除去、解像度の調整などが含まれます。目的は、OCRエンジンが最適な結果を出力するために、画像の品質を向上させることです。
> 3. 文字認識: 前処理が完了したら、OCRエンジンが画像内のテキストを認識します。OCRエンジンは、画像内の文字の特徴を抽出し、それらを実際の文字にマッピングします。機械学習アルゴリズムやディープラーニングモデルが使用され、文字認識の精度を向上させるためにトレーニングされます。
> 4. テキストの抽出: 文字が認識されたら、OCRシステムはそれらをテキストデータとして抽出します。これにより、文書内の
> 5. テ

指示の例

……（商品／サービス）のメンタルモデルとは
何ですか？ 説明してください。

3. 商品開発のアイデアを練る

> そのメンタルモデルを使ったとき、どのようなアプローチが商品開発に有効です

> AI OCRのメンタルモデルを活用した商品開発には、以下のようなアプローチが有効です。
>
> 1. ユーザビリティの重視: 顧客のメンタルモデルに基づいて、AI OCRの使いやすさを追求します。顧客が直感的に操作できるインターフェースやシンプルなワークフローを提供し、ユーザビリティを向上させることが重要です。
> 2. 精度と信頼性の向上: 顧客はAI OCRの精度と信頼性に高い期待を持っています。顧客のメンタルモデルに合致した高精度な文字認識やデータ変換を実現するために、継続的な研究開発やアルゴリズムの最適化を行います。
> 3. 多言語対応と柔軟性: 顧客のメンタルモデルに応えるために、AI OCRの多言語対応や柔軟性を高めます。さまざまな言語や文字セットに対応し、□□□□□□とで、市場の拡大や顧□
> 4. フィードバックの収集□通じて、AI OCRの改善□を収集し、継続的な改□足度の向上や新たな機□

指示の例

商品のメンタルモデルは……です。
どのようなアプローチが商品開発に
有効ですか？

専門家のアドバイスによる
リスクヘッジを行う

Keyword リスクヘッジ／リスクマネジメント

変化が激しい時代、常にリスクは変動します。現在、どういったリスクがあるのかを把握し、リスクヘッジ（もしくはリスクテイク）する方法についてもChatGPTに相談できます。

リスクを把握する

1.リスク軽減のため必要な専門家について尋ねる

> 🧑 リスクを軽減するために、どういった専門家からアドバイスを
> 受けることが必要ですか？
>
> ‹ 3/3 🤖 リスクを軽減するためには、以下のような専門家からアドバイ　⏛ 👍 👎
> 　　スを受けることが必要です。
>
> 1. **法務専門家:** 法務専門家は、法的なリスクやコンプライアンス
>   に関するアドバイスを提供します。ビジネス活動や契約の適
>   法性を評価し、リーガルな観点からのリスクを軽減するため
>   のガイダンスを提供します。
> 2. **会計士または税務専門家:** 会計士や税務専門家は、財務や税務
>   に関するリスク管理のアドバイスを提供します。適切な会計
>   処理や税務申告、税務計画に関する指導を受けることで、財
>   務上のリスクを最小化することができます。
> 3. **保険エージェント:** ビジネスのリスクを軽減するために、適切

指示の例

リスクを軽減するために、どういった専門家から
アドバイスを受けることが必要ですか？

特定のリスクに関する専門家の意見を求める
場合、どのような手順を踏めばよいでしょうか？

> **Memo**
> より深い内容について知りたいときには「英語」で質問すると高い精度の
> 回答が得られる可能性が高くなります。

2. 専門家として振る舞ってもらう

> あなたはリスクマネジメントの専門家として振る舞ってください。AI OCRのビジネスモデルについてのリスクはどこにあると思いますか？

> AI OCRのビジネスモデルにはいくつかのリスクが存在します。
> 以下にいくつかの主なリスク要素を挙げます。
>
> 1. 技術の信頼性と精度のリスク:
>   AI OCRの正確性や信頼性は、顧客の重要な要素です。技術の制約や誤認識のリスクがありますので、高い精度と信頼性を確保する必要があります。認識エラーやデータの不正確性が顧客のビジネスプロセスに影響を及ぼす可能性があります。
> 2. セキュリティとプライバシーのリスク:
>   AI OCRは大量のデータを処理するため、セキュリティとプライバシーのリスクが懸念されます。顧客の機密情報や個人情報を保護するための適切なセキュリティ対策が必要です。デ

指示の例

あなたはリスクマネジメントの専門家として振る舞ってください。……についてのリスクはどこにあると思いますか？

3. 専門家から有益な情報を得る方法を知る

> 専門家のアドバイスを受ける際に、どのような質問をすると有益な情報を得ることができますか？

> 専門家のアドバイスを受ける際に、以下のような質問をすると有益な情報を得ることができます。
>
> 1. リスクの特定と評価:
>   * どのようなリスクが存在し、それらはどれほどの重要性や影響を持つのか？
>   * リスクの発生確率や頻度はどの程度か？
>   * リスクに対する優先順位や重要度はどうすべきか？
> 2. リスク管理の戦略と対策:
>   * リスクを軽減するためにどのような対策が適切か？
>   * 予防策、緩和策、転嫁策など、どのようなアプローチが有効か？
>   * リスク管理計画の作成や実施についての具体的なアドバイスはあるか？
> 3. 監視と制御:
>   * リスクの監視や制御
>   * リスクの早期警告シ
>   * リスクの変化や新たうにすべきか？

指示の例

専門家のアドバイスを受ける際に、どのような質問をすると有益な情報を得ることができますか？

SE・プログラマー×ChatGPT

Keyword システムエンジニア／プログラミング／コード

　SE（システムエンジニア）やプログラマーにとって、ChatGPTは非常に強力なツールでもあり、脅威であるかもしれません。システム開発、プログラム設計、コーディングなど、幅広い分野においてChatGPTの活用が考えられます。

想定される人物像

大学で情報工学を学び、プログラミングに熱中。その後、IT関連企業に入社し、システムエンジニアとしてキャリアをスタート。数々のプロジェクトに携わり、プログラマーとしてのスキルも磨いてきた。大規模システムの開発をリードし、期限内に無事リリースしたり、社内のプログラミング教育を担当したり、後進の育成にも貢献している。

主な業務

システム開発とプログラム設計
複数言語によるコーディング
データベース設計と管理
ソフトウェアテストと品質管理
プロジェクト管理と進捗報告

よく使う ChatGPT 質問例

> 新しいプログラミング言語
> や技術の情報は何ですか?

> ソフトウェアテストの
> 効率化方法は?

> プログラム設計のベスト
> プラクティスは?

> コーディングスタイルや
> 標準を教えてください

> 効率的なデータベース
> 設計方法は?

> プロジェクト管理の
> ツールや方法は?

> バグの特定と修正方法を
> 教えてください

> チーム内でのコミュニケー
> ションを改善する方法は?

▶ ChatGPT をこうやって使う

● プログラム作成を補助してもらう
● 関数やエラーの内容を調べる
● 英語の文章を翻訳する
● 要件定義の作成を補助してもらう

ChatGPT は最新のプログラミング言語や技術を素早く習得し、効果的なシステム開発の実現にも役立つポテンシャルがあります。プログラム設計やデータベース設計に関するアドバイスを取り入れることで、より効率的で堅牢なシステムを構築することも可能でしょう。さらに、ソフトウェアテストや品質管理のベストプラクティスを学び、システムの安定性を向上させる役割も期待できます。

具体的には、ChatGPT を活用して、新しいプログラミング言語の習得やバグの特定や修正方法を学ぶことができます。また、ソフトウェアテストの効率化方法やプロジェクト管理のツールの提案など、SE・プログラマーがより効率的な業務を行うことを支援します。

プログラム作成を補助してもらう

Keyword プログラミング／コード

ChatGPTでは簡単なプログラムのコードであれば生成したり、他のコードに書き替えたりすることができます。また必要に応じてコードの内容についても解説できるので、コードをより深く理解するときに便利です。

コードを生成し理解を深める

1. コードを生成する

指示の例

……（を目的とした）プログラムをつくって。

Memo

プログラムにもよりますが、「実行結果を教えて」と指示することで実行結果を知ることができる場合もあります。

2. 他の言語に書き替える

指示の例

次のプログラムを……言語に書き替えて。

3. プログラムの実装について聞く

指示の例

以下のコードについて段階的に、
実装の内容を説明してください。

115

関数やエラーの内容を調べる

Keyword 関数／エラー／修正方法

　プログラミングをしていると、関数の内容がわからなかったり、エラーで動作しなかったりすることがあります。ChatGPTにソースコードを与えれば、それらの詳しい解説を聞くことができます。

関数やエラーについて調べる

1. 関数について説明を聞く

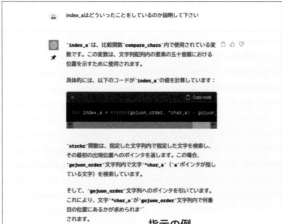

指示の例

……（関数名）はどういったことをしているのか説明してください。

Memo
ChatGPTに入力した文字列は初期設定ではAIの学習に使用されます。機密情報の漏えいなどに繋がるコードなどは入力しないようにしてください。

2. エラーの内容について聞く

指示の例

動作しない原因について教えて。

エラーの内容を説明して。

3. 修正方法について聞く

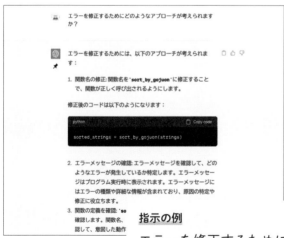

指示の例

エラーを修正するためにどのような
アプローチが考えられますか？

英語の文章を翻訳する

Keyword 翻訳／DeepL

　技術書やWebサイトから情報を得る場合、英語などの資料を読むケースも少なくありません。DeepLなどの翻訳サービスを使う方法もありますが、ここではChatGPTで翻訳する方法を紹介します。

翻訳する

1. 文章を翻訳する

指示の例

次の文章を翻訳して。

Memo
長い文章などの翻訳をする場合は、翻訳サービスを使った方がいいでしょう。

2. 文章の要点を押さえる

次の文章を翻訳してポイントを簡条書きで教えて

This repository was written by Bram Adams, a writer and programmer based out of NYC.

Bram publishes a Zettelkasten with a twice/weekly newsletter, is a community developer ambassador for OpenAI, and does freeleance contracts (for hire!) related to AI/web dev/AR+VR.

Bram is also the creator of Stenography, an API and VSC Extension that automatically documents code on save. He also is the author of Bramses' Highly Opinionated Vault, an extremely detailed philosophy + vault template used by hundreds of Obsidian users, new and old.

You can learn more about him and his work on his website.

The best way to support his work is to sign up for his newsletter here.

- このリポジトリは、ニューヨークを拠点とする作家兼プログラマであるブラム・アダムスによって書かれました。

指示の例

次の文章を翻訳してポイントを箇条書きで教えて。

次の文章を翻訳して要点をまとめて。

3. 出力だけを日本語に翻訳する

Tell me in plain English about the bubble sort algorithm. 出力は日本語で表示して。

バブルソートアルゴリズムは、要素のリストを昇順または降順に整列するための簡単なソートアルゴリズムです。このアルゴリズムは、隣接する要素を比較し、必要に応じて交換することを繰り返します。

アルゴリズムの手順は次の通りです：

1. リスト内の最初の要素から順番に、隣接する要素を比較します。
2. もし隣接する要素の順序が間違っていた場合（昇順になっていなかったり、降順になっていなかったり）、それらの要素を交換します。
3. リストの最後まで到達するまで、この比較と交換の手順を繰り返します。
4. リストの最後まで到達したら、最大（または最小）の要素がリストの
5. 1つ手前

指示の例

＜英語の指示＞出力は日本語で表示して。

要件定義の作成を補助してもらう

Keyword 要件定義／画面フロー

要件を定義する際、これまでは経験やノウハウが必要でした。ChatGPTを活用することでシステムエンジニアとして何をすべきかを学ぶことができ、実際に要件定義を決定していく際の作業負担も軽減されます。

要件定義に必要なことを学ぶ

1. 要件定義のステップを確認

> 要件定義を行うためには、どのようなステップを踏めばよいでしょうか？
>
> 要件定義を行うためには、以下のようなステップを踏むことが一般的です：
>
> 1. 目的の明確化: プロジェクトやシステムの目的やゴールを明確に定義します。これには、なぜその要件定義が必要なのか、何を達成したいのかを明確にすることが含まれます。
> 2. 利害関係者の特定: プロジェクトやシステムに関わる利害関係者を特定し、彼らの要求や期待を理解します。利害関係者にはエンドユーザー、クライアント、マネージャー、開発チームなどが含まれます。
> 3. ユーザー要件の収集: システムを使用する予定のユーザーから要件を収集します。ユーザーインタビューやアンケート、ユースケースの作成など、適切な方法を選択します。
> 4. 機能要件の定義: ユーザーから収集した要件をもとに、システムが提供すべき機能を機能要件に定義します。これには、システムの機能や操作方法、画面の設計などが含まれます。
> 5. 非機能要件の定

指示の例

要件定義を行うためには、どのようなステップを踏めばいいでしょうか？

> **Memo**
> 「足りない要件はありますか」というように尋ねれば、足りない要件についてChatGPTに問い合わせることができます。

2. 要件を定義する

> 👤 お客様の基幹システムと連携するSFAの要件を定義して下さい。

> 🔵 お客様の基幹システムと連携するSales Force Automation
> （SFA）の要件を定義します。以下に示す要件は一般的なもので
> あり、特定のケースに応じてカスタマイズが必要です。
>
> 1. データの同期: SFAシステムと基幹システムの間で顧客情報、
>   製品情報、在庫情報などのデータを定期的に同期する必要が
>   あります。データ同期はリアルタイムまたは定期的なバッチ
>   処理によって行われる場合があります。
> 2. 顧客情報の統合: SFAシステムは、基幹システムの顧客データ
>   を取り込み、顧客の詳細情報、連絡先履歴、注文履歴などを
>   表示できる必要があります。また、SFAシステムで新しい顧
>   客情報が追加された場合には、基幹システムにも反映される
>   ようにする必要があります。
> 3. 製品情報の共有: SFAシステムは、基幹システムの製品データ
>   を利用し、製品カタログ、在庫状況、価格情報などを表示で
>   きる必要があります。新しい製品が基幹システムに追加され
>   た場合には、SFAシステムでも利用可能にする必要がありま
>   す。

指示の例

……についての要件を定義してください。

3. 画面フローに落とし込む

> 👤 画面フローに落とし込むとどうなりますか

> 🔵 以下は、基幹システムと連携するSFAシステムの画面フローの一
> 例です。これは一般的なフローであり、具体的なシステムや要
> 件に応じてカスタマイズする必要があります。
>
> 1. ログイン画面:
>   • ユーザー名とパスワードを入力してログインします。
>   • もしくは、シングルサインオン（SSO）を使用してログイ
>   ンします。
> 2. ダッシュボード:
>   • グラフやチャートなどで、営業活動の概要を表示します。
>   • 重要なKPI（Key Performance Indicator）やアクションア
>   イテムのリマインダーが表示されることがあります。
> 3. 顧客管理:
>   • 顧客リストが表示され、検索やフィルタリングを使用して
>   特定の顧客を検索できます。
>   • 顧客の詳細情報を表示し、編集や追加が可能です。
>   • 顧客との関連情報（連絡履歴、注文履歴など）も表示され
>   る……
> 4. 営業

指示の例

画面フローに落とし込むとどうなりますか。

教育関係者×ChatGPT

Keyword 教育／講師／学習

　教育関係者にとってもChatGPTは強力な武器として活躍してくれるでしょう。日常の些末なプリントづくりや小テストの作成から、教育プログラムの企画・運営、授業の実施、学生の指導・評価など、幅広い業務に効果的にChatGPTを活用していきましょう。

想定される人物像

大学では英文学を専攻、教職課程を履修し、教員免許を取得。卒業後は私立の高校で教鞭をとるも、結婚・出産を経て、塾講師としてのキャリアをスタート。生徒の学力向上に独自のアプローチを開発したり、新しい教育プログラムの企画・運営に従事している。

主な業務

生徒の悩み相談
授業の実施と学生指導
学力評価と進路指導
部活の顧問になってしまったときの相談
保護者とのコミュニケーション

よく使う ChatGPT 質問例

……を使って問題をつくってください	学力評価の方法は？
生徒の学力向上のための効果的なアプローチは？	生徒とのコミュニケーションを改善する方法は？
進路指導のポイントは何ですか？	保護者とのコミュニケーション方法は？
生徒の悩みについて教えてください	クラス運営のアイデアや工夫は？

▶ ChatGPT をこうやって使う

● 日々の小テストの問題をつくる
● 学習の支援をする
● 生徒の悩みに対処する
● 部活の顧問としての行動を相談する

教育関係者にとっても ChatGPT は、幅広い分野での活用が考えられます。

　新しい教育法の習得や機材選定のアイデアを得るほか、生徒とのコミュニケーションの改善にもつなげることができるでしょう。教育関係者は、授業や学習指導といった教育活動だけでなく、学校生活や部活動、心の成長などを支える重要な役割を担っていることも多く、仕事や作業量が膨大になっています。ChatGPT を活用することで効率化を目指し、本来の業務に集中する環境づくりを模索していきましょう。

日々の小テストの問題をつくる

Keyword 試験問題／穴埋め／選択問題

　日々の授業に対する理解度を測るためにはテストが欠かせません。ChatGPTを活用し、さまざまな形式の問題をつくることで、楽しみながら学習を進めていくための準備をしてみましょう。

テスト問題を作成する

1. 穴埋め問題をつくる

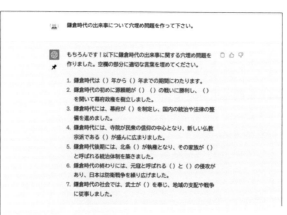

指示の例

……についての穴埋め問題をつくってください。

次の文章から穴埋め問題をつくってください。

> **Memo**
> さまざまな教科の教師として振る舞ってもらうことで、試験問題をつくることができます。

2. 選択問題をつくる

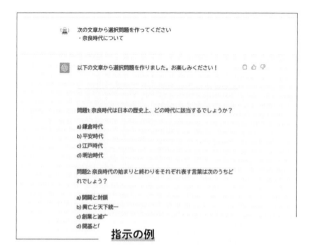

指示の例

次の文章から選択問題をつくってください。

3. クイズ形式の問題をつくる

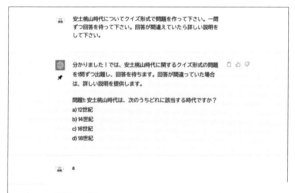

指示の例

……についてクイズ形式で問題をつくってください。
一問ずつ回答を待ってください。回答が間違えていた
ら詳しい説明をしてください。

生徒の悩みに対処する

Keyword 進路相談／進路指導／悩み相談

　ChatGPTは多くの知識を持っているため、生徒の進学や就職、悩み相談などでも活用できます。

相談や指導に使う

1.進路相談のポイントを知る

進路指導をする際の重要なポイントはなんですか？

進路指導を行う際には、以下のポイントを心に留めておくと良いでしょう：

1. **学生の興味と能力を理解する**：学生が何に興味を持っているのか、どのようなスキルや才能を持っているのかを理解することが重要です。これにより、彼らが成功する可能性が高い進路を見つけるのに役立ちます。
2. **現実的な視点を提供する**：夢を追い求めることは素晴らしいことですが、同時に現実的な視点も必要です。具体的なキャリアパスや大学の専攻についての情報を提供し、その分野で成功するために必要なスキルや資格について話すことが重要です。
3. **様々な選択肢を提示する**：大学への進学は一つの選択肢ですが、それが全てではありません。職業訓練、コミュニティカレッジ、間隔年（ギャップイヤー）、起業、ボランティア活動など、他の有意義な選択肢も学生に紹介することが重要です。
4. **長期的な視野を持つ**：進路は一生に影響を及ぼす可能性があります。そのため、短期的な目標だけでなく、長期的な視野

指示の例

あなたは高校生の進路指導をする教師です。
進路指導をする際の重要なポイントはなんですか？

> **Memo**
> 対象となる学年などを指定することで、説明の内容が変化します。

2. 就職指導の参考にする

> 📷 数学や理科が得意な生徒が向く職業は何？

> T 数学や理科が得意な生徒が向く職業は多岐にわたります。その
> 中からいくつか例を挙げてみます：
>
> 1. **エンジニア**：エンジニアリングは数学と科学を実際の問題解
>   決に応用する分野です。電気エンジニア、機械エンジニア、
>   化学エンジニア、土木エンジニア、ソフトウェアエンジニア
>   など、様々な種類のエンジニアがいます。
> 2. **データ科学者**：データ科学者は、大量のデータを分析し、パ
>   ターンを抽出し、意思決定をサポートするための洞察を提供
>   します。これには高度な数学的スキルと統計学の知識が必要
>   です。
> 3. **物理学者**または**化学者**：理
>   といった自然科学の分野
> 4. **統計学者**：統計学者は、う
>   結果を用いて決定を下すた
>   定、ビジネス戦略、医療な
>   を果たします。
> 5. **金融アナリスト**または**経済**
>   学的なスキルは重要です。

指示の例

……が得意な生徒に向く職業は何？

……に就職する時のポイントは？

……になるために何が必要？

3. 生徒の悩み相談に答えるときのポイントを知る

> 📷 自宅では介護があり、勉強時間が取れないという生徒がいま
> す。どうすれば勉強時間を取れるようになるかアドバイスを下
> さい。

> T 介護と学業の両立は大変な挑戦であり、生徒徒が直面している
> 問題を理解することが重要です。以下に、その生徒が学業に取
> り組む時間を増やすためのいくつかのアドバイスをご紹介しま
> す：
>
> 1. **時間管理**：介護と学業の両立には、時間を効率的に管理するス
>   キルが不可欠です。生徒には、一日の時間を効果的に使うた
>   めのスケジュール作りを学ぶことを勧めます。例えば、介護
>   が必要ない時間帯に集中して勉強するなどです。
> 2. **効率的な学習法**：限られた時間の中で最大限に学習するために
>   は、効率的な学習方
>   一つの課題に対し
>   多くの課題をこな
>   何度も読み直すの
>   ティブ・ラーニン
> 3. **学校や地域の支援**
>   確保できない生徒

指示の例

……という悩みを持つ生徒にどうやって
アドバイスすればいい？

……を解決する方法は？

部活の顧問としての行動を相談する

Keyword 指導法／チームビルディング

　ChatGPTは、スポーツや文化、組織論などさまざまな知識があります。部活動の顧問としての悩み相談などでも使うことができます。

専門知識を学ぶ

1.ルールや指導法などを相談する

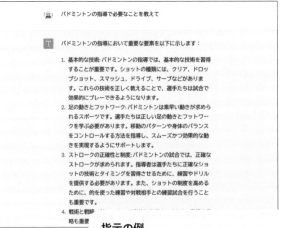

> バドミントンの指導で必要なことを教えて

> バドミントンの指導において重要な要素を以下に示します：
>
> 1. 基本的な技術: バドミントンの指導では、基本的な技術を習得することが重要です。ショットの種類には、クリア、ドロップショット、スマッシュ、ドライブ、サーブなどがあります。これらの技術を正しく教えることで、選手たちは試合で効果的にプレーできるようになります。
> 2. 足の動きとフットワーク: バドミントンは素早い動きが求められるスポーツです。選手たちは正しい足の動きとフットワークを学ぶ必要があります。移動のパターンや身体のバランスをコントロールする方法を指導し、スムーズかつ効果的な動きを実現するようにサポートします。
> 3. ストロークの正確性と制度: バドミントンの試合では、正確なストロークが求められます。指導者は選手たちに正確なショットの技術とタイミングを習得させるために、練習やドリルを提供する必要があります。また、ショットの制度を高めるために、的を使った練習や対戦相手との練習試合を行うことも重要です。
> 4. 戦術と戦略も重要

指示の例

……の効果的な練習方法について教えて。

……の指導に必要なことは何？

Memo

ChatGPTに適切な役割を与えることで、専門知識や指導法などのアドバイスを受けることができます。

2. 足りない内容について聞く

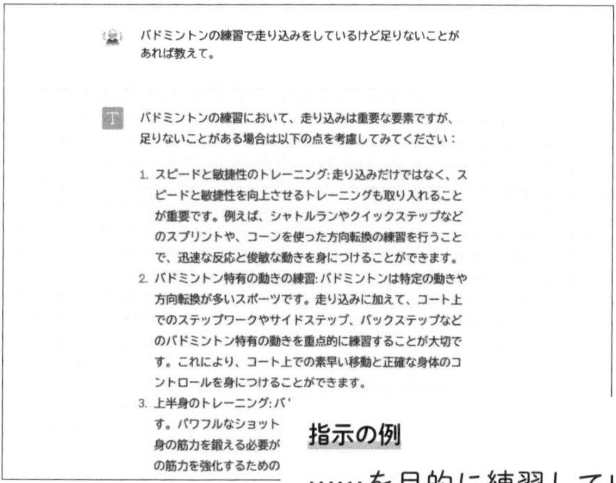

バドミントンの練習で走り込みをしているけど足りないことがあれば教えて。

バドミントンの練習において、走り込みは重要な要素ですが、足りないことがある場合は以下の点を考慮してみてください：

1. スピードと敏捷性のトレーニング：走り込みだけではなく、スピードと敏捷性を向上させるトレーニングも取り入れることが重要です。例えば、シャトルランやクイックステップなどのスプリントや、コーンを使った方向転換の練習を行うことで、迅速な反応と俊敏な動きを身につけることができます。
2. バドミントン特有の動きの練習：バドミントンは特定の動きや方向転換が多いスポーツです。走り込みに加えて、コート上でのステップワークやサイドステップ、バックステップなどのバドミントン特有の動きを重点的に練習することが大切です。これにより、コート上での素早い移動と正確な身体のコントロールを身につけることができます。
3. 上半身のトレーニング：バ
す。パワフルなショット
身の筋力を鍛える必要が
の筋力を強化するための

指示の例

……を目的に練習しているけれど、足りないことがあれば教えて。

3. チームビルディングについて聞く

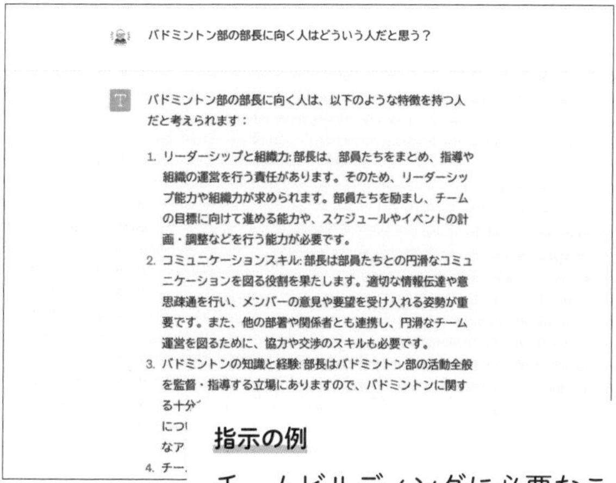

バドミントン部の部長に向く人はどういう人だと思う？

バドミントン部の部長に向く人は、以下のような特徴を持つ人だと考えられます：

1. リーダーシップと組織力：部長は、部員たちをまとめ、指導や組織の運営を行う責任があります。そのため、リーダーシップ能力や組織力が求められます。部員たちを励まし、チームの目標に向けて進める能力や、スケジュールやイベントの計画・調整などを行う能力が必要です。
2. コミュニケーションスキル：部長は部員たちとの円滑なコミュニケーションを図る役割を果たします。適切な情報伝達や意思疎通を行い、メンバーの意見や要望を受け入れる姿勢が重要です。また、他の部署や関係者とも連携し、円滑なチーム運営を図るために、協力や交渉のスキルも必要です。
3. バドミントンの知識と経験：部長はバドミントン部の活動全般を監督・指導する立場にありますので、バドミントンに関する十分
につ
なア
4. チー

指示の例

チームビルディングに必要なことを教えて。

どういう人が部長に向くと思う？

学習を支援する

Keyword カリキュラム／学習指導

　ChatGPTは幅広いトピックに関する知識を持っているため、学習指導においても力を発揮してくれるでしょう。ChatGPTを活用しながら、生徒のペースにあったカリキュラムを作成したり、授業で想定される質問に答える準備をしたりなど、多面的に学習を支援してくれます。

指導を補助してもらう

1. 学習カリキュラムを作成する

> 中学2年生向けの理科のカリキュラムを作って下さい。

> 中学2年生向けの理科のカリキュラムを提案します。以下は、典型的な理科のトピックとそれに関連する活動や実験の例です。このカリキュラムは一般的な目安であり、学校や地域のカリキュラムに合わせて調整することが重要です。
>
> 1学期：
>
> 単元1: 熱と温度
>
> ・ 熱と温度の概念の理解
> ・ 温度の測定と温度スケールの比較
> ・ 熱伝導と断熱の実験
>
> 単元2: 光と音
>
> ・ 光の性質と光の伝播
> ・ 鏡と反射の実験
> ・ 音の性質と音の伝播
> ・ 音の高さと大きさの実験

指示の例

……の学習カリキュラムを作成してください。

> **Memo**
> 期間や内容をより詳しく伝えることで、短期集中講義などでも使える
> カリキュラムをつくることもできます。

2. 生徒からの質問の答えるための準備をする

> 大気汚染の原因と影響についておしえてください

> もちろんです！以下に大気汚染の原因と影響について説明します。
>
> **大気汚染の原因:**
>
> 1. 工業活動: 工場や発電所などの排気ガスや廃棄物の排出により、大気中に有害な物質が放出されます。
> 2. 自動車の排気ガス: 自動車のエンジンから排出される排気ガスには、窒素酸化物や二酸化炭素などの有害な物質が含まれます。
> 3. 木材燃焼や焚き火: 燃焼によって出る排気ガスや煙が、大気汚染の要因となります。
> 4. 農業活動: 農薬や肥料の使用、畜産業に伴う動物の排泄物などが大気汚染の原因となります。
> 5. ゴミの焼却: ゴミの焼却によって有害な物質や煙が大気中に放出されます。
>
> **大気汚染の**
>
> 1. 健康へ

指示の例

……の基本原理について教えてください。

……の原因と影響について教えてください。

3. より深く理解するための方法を聞く

> それらをより深く知るための方法は何かありますか

> 大気汚染についてより深く知るためには、以下の方法を試してみることがおすすめです:
>
> 1. 書籍や学術論文の読書: 大気汚染に関する書籍や学術論文を探し、専門家や研究者による詳細な情報や最新の研究結果を読むことができます。このような情報源は、大気汚染の原因や影響、対策に関する深い知識を提供してくれます。
> 2. 政府機関や環境団体のウェブサイトの閲覧: 国や地域の政府機関や環境保護団体のウェブサイトには、大気汚染に関する情報やレポートが掲載されています。そこでは、大気汚染のデータや統計、取り組み、規制に関する情報を入手できます。
> 3. 学術講演やセミナーへの参加: 大気汚染に関する学術講演やセミナーに参加することで、専門家や研究者からの最新の情報や研究成果を聞くことができます。また、参加者とのディスカッションや質疑応答の機会を通じて、より深い理解を得ることができます。
> 4. オンラインコースやウェブベースの学習資源の〇 ンコースやウェブベースの学習資源は、大気汚〇 学的な知識や問題解決の手法を提供しています。 資源は、自己学習や深い理解を目指す上で役立〇

指示の例

それらをより深く知るための方法は何かありますか。

コンテンツ制作×ChatGPT

Keyword メディア／クリエイティブ／デザイン

　ブログやオウンドメディアといったテキスト主体のものから、TikTokや YouTubeといった動画まで、Webではさまざまなコンテンツが発信されていますが、制作者の立場にいる人にとってもChatGPTは有用なツールとなっています。

　コンテンツの制作には、企画立案、取材、記事作成、編集、デザインなどさまざまな要素が関わってきます。それぞれの局面においてChatGPTをサポート役として活用することで、実際の制作における効率化の実現が考えられるでしょう。

想定される人物像

美大の学生時代から広告代理店やデザイン会社でインターンシップを経験。卒業後は就職はせず、フリーランスとしてデザイナー兼プランナーのキャリアをスタート。数々の企業や個人クライアントのコンテンツ制作を手がけてきたが、最近ではそれにとどまらず、企業のブランディングやプロモーションなども手がけている。

主な業務

記事作成と編集
グラフィックデザイン
ブランディングとマーケティング
コンテンツ企画・戦略立案
クライアントとのコミュニケーション

よく使う ChatGPT 質問例

> ターゲット層に合った
> 記事のアイデアは？

> （制作する）コンテンツに
> ついて教えて

> Midjourney のプロンプト
> を出力して

> クリエイティブな
> 文章表現の例は？

> 効果的なデザインの
> ポイントは？

> デザインソフトウェアの使い
> 方やテクニックは？

> ブランディングやマーケ
> ティングのアイデアは？

> クライアントとのコミュニケーショ
> ンをスムーズに進める方法は？

▶ ChatGPT をこうやって使う

- ● コンテンツ制作のための下調べをする
- ● コンテンツの構成・文章を考える
- ● デザインや原稿の方向性を考える

　コンテンツ制作をしているライターやデザイナーは、最新のトピックや話題、ニュースなどを素早くキャッチし、ターゲット層にあった記事の企画や提案、制作をしています。また、わかりやすさに加え、SEO対策など考慮しなければならず、マーケティングなどのノウハウも不可欠となっています。そのため、専門知識を持ったプロジェクトメンバーを集めてコンテンツを制作してきました。

　ChatGPT を使うことで、企画のアイデアをたくさん出せるようになるほか、マーケティングやSEO対策を考慮した構成なども簡単につくれるようになります。少数精鋭でもこれまで同様のクオリティのコンテンツ制作が期待できます。

コンテンツ制作のための
下調べをする

Keyword コンテンツ制作／調査方法

　クリエイティブな作業をするときゼロから何かを生み出すのは大変です。そんなときにはChatGPTに手伝ってもらいましょう。まずは、制作するコンテンツに関する下調べをする方法を紹介します。

制作する題材について理解を深める

1. 調べ方についてアドバイスをもらう

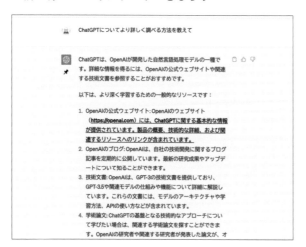

指示の例

　……についてより詳しく調べる方法を教えて。

> **Memo**
> 最新情報やトレンドなどの情報についてはChatGPTよりもWeb検索の方が得意です。ChatGPTは一般的な意味や方法論などを調べる際に使うといいでしょう。

2.調査結果のポイントを整理する

> ChatGPTについての記事を書く必要があるんだけど、どのような観点で情報を整理して分析すればいい?

> ChatGPTについての記事を書く場合、以下のような観点で情報を整理して分析すると良いでしょう:
>
> 1. 概要と背景: ChatGPTの基本的な概要と背景を説明します。何がChatGPTを特徴づけるのか、どのようにして開発されたのか、その応用範囲などについて触れます。
> 2. 技術的な仕組み: ChatGPTの技術的な仕組みを解説します。自然言語処理の手法や深層学習モデルの概要、GPT-3.5アーキテクチャの特徴、学習方法などを説明します。
> 3. 機能と応用: ChatGPTがどのような機能を持ち、どのような応用が可能なのかを具体的に紹介します。自然な対話の生成、質問応答、テキスト生成、翻訳など、幅広い応用がありますので、それぞれについて説明します。
> 4. 利点と制約: ChatGPTの利点と制約を分析します。自動生成される文章の品質や信頼性、バイアスの存在、長文生成の制約など、注意すべきベ
> 5. 関連技術や競合製　　　　**指示の例**
>   比較を行います。
>   との違いや優位性　　……について、どのような観点で情報を
>   　　　　　　　　　　整理して分析すればいい?

3.内容を理解しやすいように簡潔に整理する

> ChatGPTについて箇条書きで教えて

> 以下は、ChatGPTに関する情報を箇条書きでまとめたものです:
>
> - ChatGPTは、OpenAIが開発した自然言語処理モデルの一種です。
> - ChatGPTは、GPT-3.5アーキテクチャをベースにしており、大規模なトランスフォーマーネットワークを使用しています。
> - ChatGPTは、自然な対話の生成、質問応答、テキスト生成、翻訳など、幅広い応用が可能です。
> - ChatGPTは、大量のテキストデータを学習しており、その学習データに基づいてテキスト生成や応答を行います。
> - ChatGPTは、ユーザーが与えた文脈に基づいて応答を生成するため、会話の流れを維持することができます。
> - ChatGPTは、人間のような自然な文章を生成することがありますが、時折、不正確な情報や不適切な応答を生成することもあります。
> - ChatGPTは、利点として柔軟性や創造性を持ちますが、信頼性やバイアスの問題にも注
> - ChatGPTの応用例として

指示の例

……について箇条書きで説明して。

コンテンツの構成・文章を考える

Keyword 記事構成／内容調整／出力形式

ChatGPTに正しく指示をすれば、コンテンツ（記事やWebページなど）の構成を考えたり、素案を作成することもできます。ここでは実際に使える文章をChatGPTに出力してもらうコツについて紹介します。

記事の執筆やリライトをしてもらう

1. 記事を書いてもらう

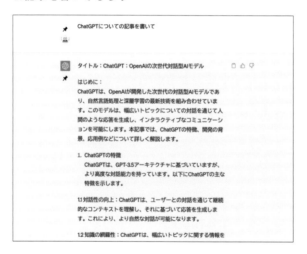

指示の例

……についての記事を書いて。

Memo
コンテンツの方向性が決まっている場合、「……を伝えたい。どういう構成にすればいい？」というように質問することで構成案の作成も支援できます。

2. 条件などを追加して内容を調整する

指示の例

記事の目的は……です。この記事の読者は……です。 この読者に対してわかりやすい記事を作成してください。

3. 出力の形式も追加する

指示の例

次の構成を参考に記事を執筆してください。
記事は、小見出しの後に400文字の原稿が入ります。この形で記事を書いてください。

デザインや原稿の方向性を考える

Keyword クリエイティブ／リライト／デザイン

クリエイティブな作業を行う際、メンバー同士で方向性を合わせる必要があります。目的を実現するためのクリエイティブの方向性を考える際にも ChatGPT は活用できます。

必要な要素を追加する

1.足りない要素を考えてもらう

今回、ChatGPTのSettingsから「Chat History & Training」をオフにすることで、履歴の保存や学習に使わないようにできます。

手順は次の通りです。
①ChatGPTにアクセスし、②Settingsをクリック、③Data Controlsをクリック、④Chat History & Trainingをオフ

これで不正行為監視目的で30日間は保存されますが、情報漏えいリスクは大幅に低減できるでしょう。

この記事ではセキュリティの観点が足りないと思うんだけど、どういう項目を追加したらいいか教えて。

セキュリティの観点を考慮する際に、以下の項目を追加することを検討してみてください。

1. データの暗号化: ユーザとChatGPTの間でやり取りされるデータを暗号化することで、データ漏洩や不正アクセスのリスクを低減できます。
2. アクセス制御: ChatGP▓
　　ることで、悪意のあ▓
　　洩を防ぐことができ▓

指示の例

……についての観点を加えるには、どういった項目が必要になりますか？

> **Memo**
> 媒体に合わせた構成案の作成も可能です。「……の解説動画をつくりたい。どういう構成にするとわかりやすいと思う？」というような質問をすると、媒体に合わせた構成案のアイデアをもらえます。

2. リライトする

> 今回、ChatGPTのSettingsから「Chat History & Training」をオフにすることで、履歴の保存や学習に使わないようにできます。
>
> 手順は次の通りです。
> ①ChatGPTにアクセスし、②Settingsをクリック、③Data Controlsをクリック、④Chat History & Trainingをオフ
>
> これで不正行為監視目的で30日間は保存されますが、情報漏えいリスクは大幅に低減できるでしょう。
>
> この原稿にセキュリティの要素を加えてリライトして下さい。

> 今回の記事では、ChatGPTのセキュリティを向上させるために、履歴の保存を無効化する方法についてご紹介します。これまで、「ChatGPTが入力情報を保存してしまうことで、機密情報の漏洩リスクが高まるため、ChatGPTの使用を避けている」という企業が存在しました。しかし、今回ご紹介する設定を利用することで、そうした企業でも安心してChatGPTを活用できるようになります。
>
> 従来の方法としては、Goog▢ ▢の申請を行う必要がありま▢

指示の例

次の原稿に……という要素を加えて
リライトしてください。

3. デザインの方向性について相談する

> ブログ記事でセキュリティを説明するためのデザイン案を教えて

> セキュリティを説明するためのブログ記事のデザイン案をいくつか提案します。
>
> 1. ロックと盾のイメージ：ブログの背景にはロックや盾のイメージを使用し、セキュリティの重要性を強調します。記事内には、ロックや盾のアイコンを使用してセキュリティ対策の具体的なポイントを示すことができます。
> 2. ピラミッドのグラフィック：セキュリティの重要な要素である「機密性」「完全性」「可用性」を表すピラミッドのグラフィックを導入します。こ▢
>   重要性と各要素の関連▢
> 3. パズルピース：セキュリ▢
>   り立つものです。パズ▢
>   ュリティの構成要素や▢
>   ピースには、パスワー▢
>   どの具体的な要素を表▢
> 4. ラインチャート：セキュ▢

指示の例

……を強調するためには、どういった
デザインにすればいい？

———————————

ブログ記事で……を説明するための
デザイン案を教えて。

類語や言葉の意味を調べる

ChatGPT は、文章を作成できますが、類語や言い換え、言葉の意味を聞くといったこともできます。文章のリズムを整えたり、文章の意味をより深く理解するときに使える機能です。

● 類語や言い換え

単なる言い換えだけではなく、どういうシーンで使うのかなどを指示することで適切な言葉を探せます。

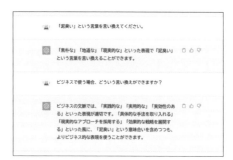

● 言葉の意味を聞く

……ってどういう意味？　というように聞けば言葉の意味を教えてくれます。また、追加で質問することで詳細な情報も調べられます。

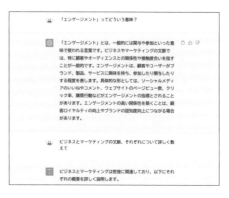

第 **5** 章

ChatGPTの拡張と
他のAIツール

本章では、ChatGPT Plusで使用可能な機能、
スマホアプリの紹介とともに、
他の生成系AIツールについても解説します。

ブラウジング機能を使う

Keyword ChatGPT Plus ／ GPT-4 ／ ブラウジング

有償で提供されているChatGPT Plus（P.16参照）では、「Beta features」として「Web browsing」機能が提供されています。この機能により、**最新情報についてもChatGPTで扱える**ようになります。

設定をする

「Web browsing」を使うには、メニュー（P.14参照）の「Settings」を開き、「Beta features」から「Web browsing」をオンにする必要があります。

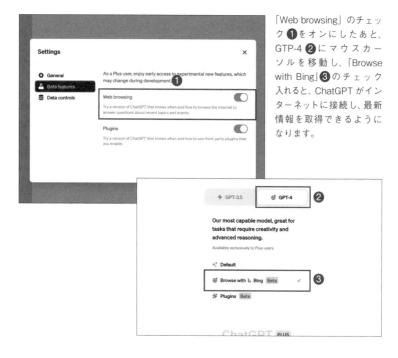

「Web browsing」のチェック ❶ をオンにしたあと、GTP-4 ❷ にマウスカーソルを移動し、「Browse with Bing」❸ のチェック入れると、ChatGPTがインターネットに接続し、最新情報を取得できるようになります。

Web browsing 機能を使う

ChatGPT に「最新ニュースについて教えて」というように指示します。

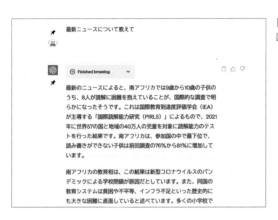

「最新ニュース」も含めた回答が得られます。

　ブラウジングにより参照したサイトが回答内に表示されるので、情報の確かさについても自身で確認することができます。

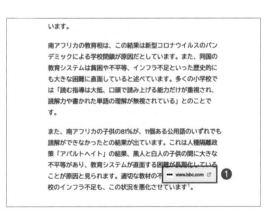

情報を取得したサイトのURLが表示されます❶。

プラグインを使う

Keyword ChatGPT Plus ／ GPT-4 ／プラグイン

有償で提供されているChatGPT Plusでは、「Beta features」としてプラグイン機能が提供されています。この機能により、**さまざまなサービスとChatGPTとを連携**できます。

設定をする

プラグインを使うには、「Settings」の「Beta features」から「Plugins」をオンにする必要があります。

142ページを参考に「Settings」-「Beta features」から「Plugins」❶ をオンにした後、GPT-4 ❷ にマウスカーソルを移動し、「Plugins」❸ のチェックを入れます。

プラグインを選ぶ

Plugin storeでプラグインをインストールした後、ChatGPTで使うプラグインを選びます。Plugin storeにはさまざまなプラグインが登録されているので、使いたいプラグインを選ぶと、ChatGPTに組み込まれます。

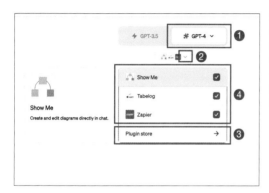

GPT-4 ❶にマウスカーソルを移動し、❷をクリックします。「Plugin store」❸から、使用したいプラグインをインストールします。
ChatGPTで使うプラグイン❹を選びます。

プラグインを使う

Tabelogを例にプラグインの使い方を説明します。「今夜予約できるお店を教えて」というように指示をすることで「食べログ」サイトから情報を収集し、回答します。

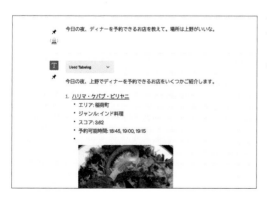

Tabelogのプラグインを使った例。プラグインを使うことで、ChatGPTの活用の幅が広がります。

iPhoneアプリを使う

Keyword iPhone ╱ Android ╱ App Store

スマートフォンでChatGPTを使うには、WebブラウザーでChatGPTサイトにアクセスする方法と、アプリを使う方法があります。ここでは、**iPhone用のChatGPTアプリ**について解説します。

アプリをインストールする

ChatGPTのアプリを使うには、「App Store」からダウンロードする必要があります。なお、2023年6月現在、スマホ用のアプリはiOS版のみ提供されています。

App Storeで「ChatGPT」と入力し検索。アプリが表示されたら「入手」❶をタップしてダウンロードします。

Memo

AndroidスマートフォンでChatGPTを使うには、WebブラウザーでChatGPTサイトにアクセスします。ブックマークに保存しておけば、使いたいときにすぐに使えるようになります。

ChatGPT アプリを使う

ChatGPTアプリを開くと入力画面が表示されます。文字を入力する際、キーボードで入力する方法と、音声で入力する方法があります。ここでは音声で入力する操作を解説します。

入力ボックスの右にあるマーク❶をタップすると、音声入力画面が開きます。入力が終わったら、録音を停止するため■アイコンをタップします。音声がテキストに変換されたら↑アイコン❷をタップし送信します。

指示内容にあわせて ChatGPT が回答します。

ChatGPTを組み込んだ
サービス

Keyword Jedit ／ API Keys ／ LINE ／ Zapier

　ChatGPTを組み込んだサービスが急速に増えています。**ChatGPTを活用することで、効率化やコスト削減、ユーザーエクスペリエンスの向上が期待で**きます。これらの技術は今後さらに進化し、私たちの生活の中で利用されるようになるでしょう。

エディタに組み込む

　Artman21が提供しているMac用のエディタ「Jedit」の最新バージョンでは、OpenAIの「API Keys」を取得することでエディタからChatGPTが使えるようになります。

API Keys を取得する必要がありますが、エディタからGPT-4が使えます。

Memo
OfficeアプリにGPT-4を組み込んだCopilotの提供も発表されています。
文章作成だけではなく、Officeアプリの機能解説やどういった関数を使えばいいのかなどのアドバイスも受けられるようになります。

LINE で ChatGPT が使える「AI チャットくん」

LINEで友だち追加をするだけでChatGPTが使えるようになるサービス。1日5回までなら無料で使うことができます。これを入れておけば、スマートフォンで気軽にChatGPTが使えるようになります。

AI チャットくん（picon）。
LINE から ChatGPT を使用できます。

Web サービスを連携させる Zapier に組み込む

複数のWebサービスを連携させ、さまざまな操作を自動化する「Zapier」でもChatGPTを使えます。メールの本文をChatGPTで要約し、Slackなどのコミュニケーションサービスに投稿するといった操作を自動化できます。

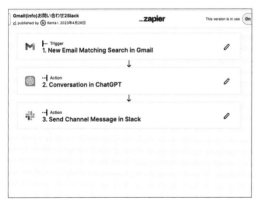

Gmail でスターを付けたメールの要約を作成し、Slack に投稿するという操作を自動化しました。

Stable Diffusion

Keyword 画像生成 AI ／クレジット

Stable Diffusion は、画像生成AIの1つ。画像のイメージなどをプロンプト
に入力することで、画像を生成します。プロンプト次第で**写真やイラストの生
成も可能です**。さまざまなサービスにも組み込まれています。

Web で Stable Diffusion を使う

1. サイトにアクセスする

Web で Stable Diffusion を使うには「Dream Studio」を使うと便利です。プロ
ンプトを入力すると、プロンプトに応じた画像が生成されます。

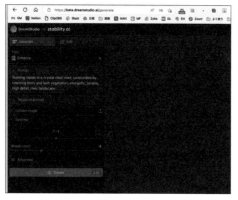

「Dream Studio」
(https://beta.dreamstudio.ai/
generate) にアクセスします。

> **Memo**
> Dream Studio で画像生成するには、「クレジット」を購入する必要がありま
> す。無償で画像生成するには、Stable Diffusion の環境をGoogle
> Colaboratory などに構築する方法があります。

2. プロンプトを入力する

　プロンプトを入力し、画像を生成していきます。いくつか画像が生成されるのでイメージに合った画像を選択しましょう。

プロンプトを入力し❶
「Dream」❷をクリックすると、画像が生成されます。

Stable Diffusion を組み込んだアプリ

1. アプリから使う

　Stable Diffusion を組み込んだアプリも提供されています。いくつかアプリがあるので、いろいろと試してみるといいでしょう。

Stable Diffusion を組み込んだアプリを使えばパソコンから簡単に画像を生成できます（画像は DiffusionBee）。

Midjourney

Keyword Discord／サブスクリプション

Midjourney も Stable Diffusion 同様画像生成 AI の１つ。コミュニケーションツール「Discord」を使って画像を生成することができます。チャットをしながらイメージどおりの画像を生成していきましょう。

Midjourney を使う

1.Discord のコミュニティに参加する

Midjourney は、コミュニケーションツール「Discord」を使って画像を生成するため、あらかじめ Discord を使えるようにしておく必要があります。Discord が使えるようになったら、Midjourney のサイトから Discord に接続しましょう。

Midjourney のサイト
（https://www.midjourney.com/）
にアクセスし、「Join the beta」 ①
をクリックします。

> **Memo**
> Midjourney は現在、無償で使うことができません。利用時には月額10ドル～
> のサブスクリプションに加入する必要があります。

2.Discordにアクセスする

Discordが起動するので、Midjorneyのサーバーに参加します。

Discordにある Midjorneyの
サーバーに参加します❷。

3.プロンプトを入力する

Discordで画像を生成していきます。「newbies-数字」のチャンネルを選び、
プロンプトを入力します。

テキストボックス❸に、「/images」
と入力後、プロンプトを入力し、
画像を生成します。

Notion

Keyword クラウドメモサービス／ Notion AI ／ブロック

Notionは、多機能なクラウドメモサービスです。メモのほか、タスク管理やデータベースの作成などができ、簡単な業務アプリケーションも作成できます。NotionではNotion AIという機能を使うことができ、文章の要約や作成ができます。

Notion で AI 機能を使う

1.Notion AI を呼び出す

Notionで文章を書くとき、AI機能を利用することができます。Notion AIを呼び出し、指示を与えることでブログ記事の執筆や文章の要約ができます。

Notion AI を呼び出します❶。／（スラッシュ）コマンドから（もしくは、スペース、全角セミコロン「；」を入力することで）呼び出すことができます。

> **Memo**
> AIを使うためにはAIアドオンオプションに加入する必要があります。

2. 書きたい内容を指示する

　AIに何をしてほしいのかを指示していきます。Notion AIに与える指示はプルダウンで表示されます。

AIに書かせたい文章を指示します**②**。ここでは ChatGPT についてのブログ記事を執筆しています。

3. AIブロックを使えば、より汎用的に使える

　Notionは、「ブロック」でテキストや画像を管理しています。AIブロックという特殊なブロックをテンプレートなどに組み込めば、メモを活用しやすくなります。

/コマンドで選択できるAIブロック**③**を使えば、そのページにある情報を使って文章の要約やアウトラインの作成などができます。

新しいBing・新しいEdge

Keyword Bing ／ Edge ／サイドバー

　検索エンジン「Bing」やWebブラウザー「Edge」もAIに対応しています。GPT-4を元にカスタマイズされたモデルが使われており、ChatGPTと同様にさまざまなタスクをこなすことができます。

Webブラウザーで AI 機能を使う

1.Web検索＋チャット

　新しい Bing（https://www.bing.com/new）では、Web 検索のほか「チャット」機能が提供されます。Web 検索とチャットの2つの方法でさまざまなことを調べることができます。

Bing のチャット画面。ChatGPT 同様、テキストボックス❶にプロンプトを入力していきます。

> **Memo**
> 新しいBingやEdgeの「チャット」機能はGPT-4をベースにカスタマイズされたものが採用されています。そのため、出力結果がChatGPTとは異なる場合があります。

2. ブラウザーのサイドバーにチャット機能を内包

　Microsoft Edge のサイドバーから AI を使うことができます。ブラウズしながら AI を使えるので便利です。

Microsoft Edge では、ブラウザーのサイドバーにチャット機能が搭載されています❷。Web メールの本文の下書きをサイドバーでつくることができるなど便利に使えます。

3. 本家 ChatGPT もサイドバーに追加可能

　Edge のサイドバーは、ChatGPT を組み込むこともできます。ChatGPT Plus ユーザーは、プラグイン機能も使えるので便利です。

Edge のサイドバーには、本家 ChatGPT を追加することもできます❸。簡単に ChatGPT にアクセスできるようになり、生産性が向上します。

＜付録＞主な生成系AI関連サービス一覧

ボット

Gitple（株式会社ライト）　　　　　　　　　https://gitple.jp/

ChatGPTと連携可能なチャットボット。コールセンターの顧客管理を改善する

Miibo（株式会社miibo）　　　　　　　　　　https://miibo.jp/

あらゆるプロダクトに対して短期間で会話AIを構築するソリューション

anybot for ChatGPT（エボラニ株式会社）　https://chatgpt.anybot.me/

自社データを組み込んだAIを使い業務改善を支援

SELF（SELF株式会社）　　　　　　　　　　https://self.systems/

ユーザーとの深い関係性を構築する次世代チャットボット

オンライン接客・営業支援

ObotSERVE（株式会社ObotAI）　　https://obot-ai.com/obotserve/

ChatGPTエンジン組み込んだWeb接客で顧客獲得などを支援

Yoriai（株式会社Cominka）　　　　https://yori-ai.com/chatbotlp/

ナレッジの蓄積やWeb接客を支援

LIVELP（K合同会社）　　　　　　　　　　https://livelp.net/

オンライン接客を行うAIツール。企業や店舗に合わせたカスタマイズも可能

LinKa（株式会社ナノコネクト）　　　　　https://ai-linka.com/

受付、商談などを自動化する自動車販売業界向けAIコンサルタント

Hitobo（アディッシュ株式会社）　　　　　　https://hitobo.io/

Webでの営業活動を支援するAIツール

Tebot（株式会社アノテテ）　　　　https://anotete.co.jp/tebot/

顧客獲得からユーザーサポートまで行うAIツール

Kasanare（カサナレ株式会社）　　https://kasanare.co.jp/

Web での営業活動を支援する AI ツール

業務改革支援

社内 GPT（株式会社 Hi-STORY）　　https://gpt.hi-story.co.jp/

社内で安全に ChatGPT を導入するための支援、Slack ボットの導入

カラクリ AI プレイグラウウンド（カラクリ株式会社）　　https://gpt.karakuri.ai/

コンタクトセンターで ChatGPT の利活用を支援

ログミーツ GPT（株式会社時空テクノロジーズ）　　https://lp.logmeets.jp/

AI が会議の文字起こし・テキストを要約・分析・英訳するソリューション

データ分析

Srush（株式会社 Srush）　　https://www.srush.co.jp/

データの分析・加工を行う BI ツール

TopicScan（株式会社エモーションテック）　　https://www.emotion-tech.co.jp/

コメントや口コミなどを要約・分析する AI 分析サービスを提供

MA / SFA / CRM

ネクスト SFA（株式会社ジオコード）　　https://next-sfa.jp/

見込み客の獲得・育成や商談・顧客管理まで行う

ナレッジマネジメント

OfficeBot（ネオス株式会社）　　https://officebot.jp/

社内データをナレッジとして活用するための支援

HiTTo（HiTTO株式会社）　　https://hitto.jp/

ナレッジマネジメントに特化した問い合わせ体験最適化ボット

■ 問い合わせについて

本書の内容に関するご質問は、弊社ウェブサイトのお問い合わせページ（下記 URL）から、もしくは下記の宛先まで FAX または書面にてお送りください。なお電話によるご質問、および本書に記載されている内容以外の事柄に関するご質問にはお答えできかねます。あらかじめご了承ください。

〒162-0846
東京都新宿区市谷左内町21-13
株式会社技術評論社　書籍編集部
「なるほど！ChatGPT活用術」質問係
FAX：03-3513-6181　URL：https:// book.gihyo.jp/116

※ ご質問の際に記載いただいた個人情報は、ご質問の返答以外の目的には使用いたしません。
　 また、ご質問の返答後は速やかに破棄させていただきます。

ゼロからはじめる
なるほど！ChatGPT活用術
～仕事の効率が劇的に変わるAI使いこなしのヒント

2023年7月15日　初版　第1刷発行

著者………………………マイカ
発行者……………………片岡 巌
発行所……………………株式会社 技術評論社
　　　　　　　　　　　　東京都新宿区市谷左内町 21-13
電話………………………03-3513-6150　販売促進部
　　　　　　　　　　　　03-3513-6185　書籍編集部
　　　　　　　　　　　　Web　https://gihyo.jp/book
印刷・製本…………………昭和情報プロセス株式会社

装丁・デザイン………菊池 祐（株式会社ライラック）
本文イラスト・DTP…みつい としゆき
編集………………………マイカ
担当………………………伊東健太郎（技術評論社）

ISBN978-4-297-13601-7 C0036
Printed in Japan